Erläuterungen und Dokumente

# Theodor Fontane
# Irrungen, Wirrungen

Von Frederick Betz

Philipp Reclam jun. Stuttgart

Fontanes »Irrungen, Wirrungen« liegt unter Nr. 8971 in Reclams Universal-Bibliothek vor. Auf diese Ausgabe beziehen sich die Seiten- und Zeilenangaben und die Verweise.

Universal-Bibliothek Nr. 8146 [2]

Karte: Theodor Schwarz, Urbach
Gesamtherstellung: Reclam, Ditzingen. Printed in Germany 1991

ISBN 3-15-008146-7

# Inhalt

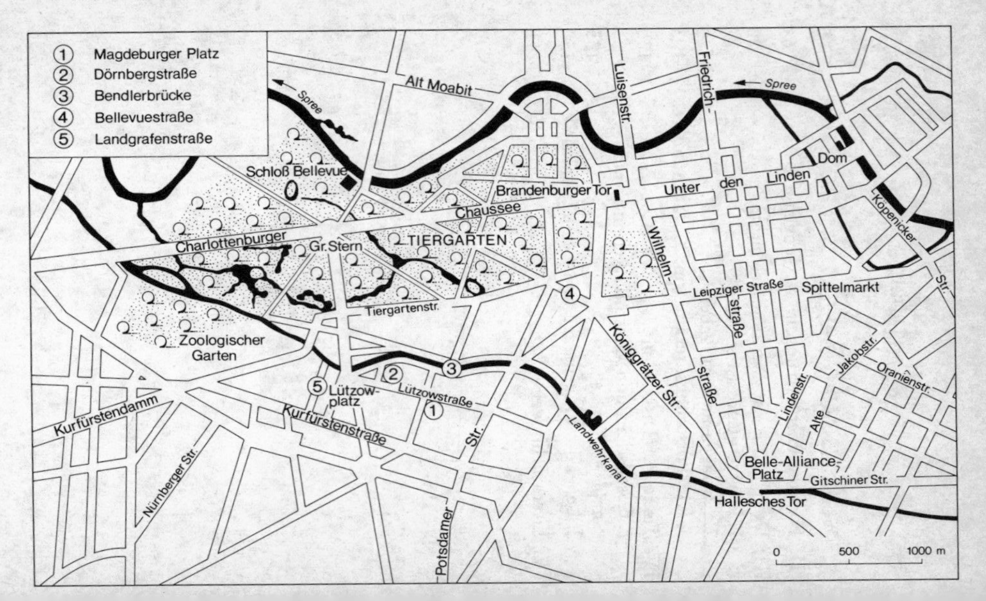


*Karte zum Schauplatz*

# I. Wort- und Sacherklärungen

Zum *Romantitel* vgl. Fontanes Tagebucheintragungen: »Novellenstoff aufgeschrieben (›Irrt, wirrt‹)« (12. 12. 1882); »[...] meine neue Novelle ›Irrungen – Wirrungen‹ wieder in Angriff genommen [...]« (9. 4. 1884), (Dichter über ihre Dichtungen: Theodor Fontane, hrsg. von Richard Brinkmann und Waltraud Wiethölter, München: Heimeran 1973, Bd. 2, S. 358). Vgl. ferner 158,28 im Text. Nach Marianne Zerner verdankt »der [...] Titel des Romans [...] wohl seine Wahl der klanglichen Wirkung, die durch die Koppelung entsteht« (Zur Technik von Fontanes ›Irrungen, Wirrungen‹, in: Monatshefte, Bd. 45, 1953, S. 32). Bei Georg Büchmann wird erst in der 20. Auflage (Berlin 1900, S. 285) der Titel zum »geflügelten Wort«. Die Ausgabe der »Geflügelten Worte« (München 1967) bemerkt Bd. 1, S. 350: »Vielleicht ist Fontane in der Wahl dieses Titels beeinflußt worden durch die Worte, die in Goethes ›Maskenzug bei Allerh. Anwesenh. I. M. d. Kaiserin-Mutter Maria Feodorowina in Weimar, d. 18. Dez. 1818‹ die Ilme spricht: ›Weltverwirrung zu betrachten, / Herzensirrung zu beachten, / Dazu war der Freund [d. i. Goethe] berufen.‹«
Zur Klärung des in den verschiedenen Fontane-Ausgaben unterschiedlich formulierten Titels sei angemerkt, daß er im Vorabdruck in der »Vossischen Zeitung« (Nr. 339, 24. 7. 1887, S. 3) sowie in der Erstausgabe (Leipzig: Steffens 1888) und im Bd. 10/11 der »Dominik-Ausgabe« (Ges. Romane, und Novellen, Berlin: Emil Dominik, Bd. 1–9, Berlin: Friedrich Fontane, Bd. 10–12, 1890/91) ein Komma enthält, erst in der Einzelausgabe Berlin 1910 (Fischers Bibliothek zeitgenössischer Romane) erscheint der Titel ohne Komma.
Zum Gebrauch des *Dialekts* im Roman siehe Fontanes Briefe an Friedrich Stephany (26. 7. 1887) und Emil Schiff (15. 2. 1888) in Kap. II. Zur zeitgenössischen Kritik des Berliner Dialekts siehe die Rezensionen von Richard Bürkner und Richard Weitbrecht in Kap. III,1. Erich Wenger stellt fest, daß Fontane den Berliner Dialekt nicht genau nachahme, sondern nur andeute, und fügt kritisch hinzu, daß Fontane dadurch den Leser vor der Derbheit und

»Schnoddrigkeit« des Berliners verschone (Theodor Fontane, Sprache und Stil in seinen modernen Romanen, Diss. Greifswald 1913, S. 52). Mary-Enole Gilbert bemerkt, daß Fontane nur die auffallendsten lautlichen Eigenarten der Berliner Mundart hervorhebe: »die Sprechenden gebrauchen ›j‹ für ›g‹ (aber nicht einmal durchgehend), selten findet sich ›p‹ für ›pf‹, häufiger ist die Auslassung von Lauten und Silben und die Verwechslung der Fälle. Als einzelne Eigenarten kommen noch dazu: die Anhängung des Plural ›s‹, der Gebrauch von ›denn‹, ›un‹, ›nich‹, ›von wegen‹ etc. und der doppelten Negation« (Das Gespräch in Fontanes Gesellschaftsromanen, Leipzig: Mayer & Müller 1930, S. 134 f.). Nach Gilbert »ist die Sprache Lenes nur gemäßigt mit Berliner Ausdrücken durchsetzt«, und: »einige Lässigkeiten (is, gegen's, rüber) färben die Sprache aber nicht besonders stark, vor allem wenn man Frau Dörrs Dialekt dagegenhält, die ›nich‹, ›is‹, ›nu‹ gebraucht, bestimmte Worte ›mehrstens‹, ›drippen‹ etc., aber keineswegs mehr durchgehend lautliche Veränderungen an ihrer Sprache zeigt« (S. 135). Siehe Lenes Kritik am Berliner Dialekt, 15,31. Der Berliner Wortschatz in »Irrungen, Wirrungen« ist bei Joachim Krause: Fontane und der Dialekt (Diss. Greifswald 1932, S. 54–74) verzeichnet. Krause hebt u. a. auch die Bildung der flektierten Formen von männlichen und weiblichen Namen auf ›-en‹ (z. B. »mit Dörren seinen Hut«, 4,35; »Lenen«, 115,34), die Anpassung des Genitivs an das Possessivpronomen (z. B. »der Lene ihren Baron«, 6,15; »Bollmann seiner«, 10,17) und neben ›-s‹ die Silbe ›-er‹ zur Pluralbildung (z. B. »Madams«, 10,1; »Gärtners«, 14,18; »Geschmäcker«, 6,2; »Kreuzer«, 89,27) hervor.
Zum Gebrauch des *Fremdworts* im Roman sei auf die Diss. von Albin Schultz: Das Fremdwort bei Theodor Fontane (Greifswald 1912), bes. S. 78–113, hingewiesen. Schultz meint, daß sowohl seine französische Abstammung als auch seine Aufenthalte in England (1844, 1852, 1855–59) Wirkung auf Fontanes Vorliebe für das französische und das englische Fremdwort gehabt hätten (S. 15), und betont, daß Fontane Fremdwörter zur Charakterisierung der Personen sowie zur Schilderung des Milieus bewußt gebrauche (S. 17 f.). Demgemäß verzeichnet und analysiert Schultz Fremdwörter der einzelnen Personen sowie Fremdwörter

in den schildernden und erzählenden Partien von »Irrungen, Wirrungen«. Dabei stellt er fest, daß die meisten Fremdwörter von den Adligen (Botho, Käthe, Osten, Bothos Kameraden), ihrer gesellschaftlichen Bildung und ihrem Wesen nach, gesprochen werden. Die Fremdwörter fallen meist unter die Rubriken »Conversationston«, »öffentliches Leben« und »Militär«. Die Personen »aus dem Volke« (Lene, Frau Nimptsch, Frau Dörr, Dörr) sprechen natürlich verhältnismäßig wenige Fremdwörter; die älteren Personen gebrauchen so gut wie kein Fremdwort, das nicht schon tief in die Volkssprache eingedrungen wäre. Ausnahmen bilden Gideon Franke, der als Konventikler altmodische Fremdwörter gebrauche, und die drei »Damen« von Bothos Kameraden, in deren Gebrauch von Fremdwörtern »etwas Typisch-Halbweltlerisches« zum Ausdruck komme.
Im Anschluß an Schultz versucht Hans-Martin Schorneck, die Überzahl von französischen Vokabeln bei Fontane durch historisch-soziologische Gründe sowie durch die künstlerisch-realistische Intention Fontanes zu erklären (Fontane und die französische Sprache, in: Fontane-Blätter, H. 11, 1970, S. 172–186).
Gegen die These von »französischen Wesenszügen in Fontanes Persönlichkeit und Werk« (Ursula Wiskott, Diss. Berlin 1938) vertritt Peter Demetz die Ansicht, daß die Anglizismen in Fontanes Sprache von bedeutender Auffälligkeit im Vergleich zu seinen Gallizismen seien (Formen des Realismus: Theodor Fontane. Kritische Untersuchungen, München: Hanser 1964, S. 131). Vgl. jetzt auch die materialreiche Arbeit von Iman Osman Khalil: Das Fremdwort im Gesellschaftsroman Theodor Fontanes. Zur literarischen Untersuchung eines sprachlichen Phänomens, Frankfurt a. M. / Bern / Las Vegas: Lang 1978. Wichtig ist der Nachweis der nicht geringen Rolle des Fremdworts bei Fontanes Gesellschafts- und Bildungskritik (Kap. 6). Zu Lenes Fremdwortgebrauch s. S. 269–272.

## Erstes Kapitel

3,2 f. *An dem Schnittpunkte von Kurfürstendamm und Kurfürstenstraße:* bei Fontane typischer Romananfang (vgl. bes. die ›Berliner Romane‹), nämlich genaue Schilderung des Schauplatzes in enger Anlehnung an reale Lokalitäten. Vgl. Wolfgang E. Rost: Örtlichkeit und Schauplatz in Fontanes Werken, Berlin/Leipzig: de Gruyter 1931, S. 129–131.

3,3 *»Zoologischen«:* der Zoologische Garten, 1844 als erster Zoo Deutschlands eröffnet, ein beliebtes Ausflugsziel der Berliner, noch in den 1870er Jahren an der Peripherie der Stadt (Berlin West) gelegen.

3,5 *Gärtnerei:* Im Jahre 1882, als Fontane den Roman konzipierte, befand sich noch an der beschriebenen Stelle eine Gärtnerei, das sogen. Blümnerische Haus, Kurfürstendamm 119 (vgl. Rost, S. 129). Fontane zeichnete sich für das Dörrsche Grundstück nebenstehende Lageskizze.

3,13 *wie durch eine Kulisse versteckt:* Die Bühnenmetapher (vgl. 3,16 f.) verrät den künstlerischen Entwurf des realistischen Bildes, weist aber auch auf die Dramentechnik der ›Teichoskopie‹ (griech., ›Mauerschau‹) hin: vom ersten Auftreten des Liebespaares erfährt der Leser durch Frau Dörrs Augenzeugenbericht (6,32 ff.). Daß die Liebenden schon hier in der Situation des Abschieds erscheinen, deutet auf das Ende ihres ›Verhältnisses‹ hin (vgl. Horst Schmidt-Brümmer: Formen des perspektivischen Erzählens: Fontanes ›Irrungen Wirrungen‹, München: Fink 1971, S. 75, Anm. 47). Fontane hat sich mehrfach über die Bedeutung des ersten Kapitels in seinen Romanen geäußert, vgl. z. B. seinen Brief an Gustav Karpeles vom 18. 8. 1880: »Das erste Kapitel ist immer die Hauptsache [. . .]. Bei richtigem Aufbau muß in der ersten Seite der Keim des Ganzen stecken« (Briefe [Aufbau] II,27) oder seinen Brief an Georg Friedlaender vom 8. 7. 1894: »An den ersten 3 Seiten hängt immer die ganze Geschichte« (Briefe an Friedlaender, S. 260).

3,13 f. *ein rot und grün gestrichenes Holztürmchen:* Zur möglichen Farbsymbolik vgl. Eugène Faucher: Farbsymbolik in Fontanes ›Irrungen Wirrungen‹, in: Zeitschrift für deutsche Philologie, Bd. 92 Sonderheft: Fontane (1973), S. 59–73. Faucher orientiert sich an Goethes Farbenlehre, die Fontane möglicherweise selbst kannte (S. 62 f.), und arbeitet die gegensätzlichen Bedeutungen von ›rot‹ und ›grün‹ heraus. Die Bilanz: rot = Transzendenz, Aufschwung, Idee, Himmel; grün = Immanenz, Ruhe,

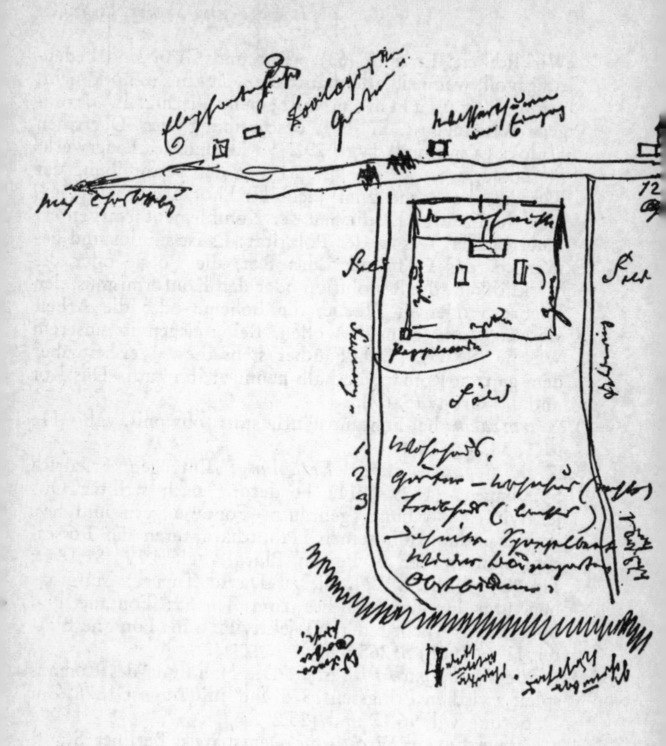

*Lageskizze der Dörrschen Gärtnerei und der weiteren Umgebung des Grundstückes. Zeichnung Fontanes. Deutsche Staatsbibliothek, Theodor-Fontane-Archiv Potsdam (Notizbuch B 15, S. 30)*

Wirklichkeit, Erde (S. 63). »Rot und Grün sind bedeutungsvoll, wenn sie allein auftreten, sie sind es noch mehr, wenn sie zusammen erscheinen. Viermal in ›Irrungen Wirrungen‹: in der Beschreibung des Dörrschen Schlosses (zweimal) [vgl. 29,2]; während des Feuerwerks im Zoologischen Garten [33,31]; in der Beschreibung der Kutsche, die Botho zum Jacobikirchhof bringt [148,36]. Das gleichzeitige Erscheinen der Komplementärfarben erinnert an das Gesetz der Polarität: Es ist sinnlos und gefährlich, das Grün oder das Rot, die Poesie oder die Wirklichkeit, die Revolution oder den Konformismus, den Ehebruch oder die Treue, die Boheme oder die Arbeit einseitig aufwerten zu wollen. Beide liegen in unserem Wesen« (S. 65). Nach Faucher steht diese Weisheit über dem ganzen Roman; deshalb nennt er ihn auch »Das Rot und das Grün« (S. 67).

3,23 *trotzdem:* bei Fontane häufig statt ›obwohl‹, vgl. 4,11; 31,1; 38,22; 120,4.

3,27 *zu Beginn unserer Erzählung:* Entgegen Friedrich Spielhagens (1829–1911) Forderung nach strikter Objektivität im Roman gebraucht Fontane gern und bes. in Verbindung mit seinen Hauptcharakteren das Possessivpronomen der 1. Person Plural, vgl. 4,19; 81,18 f.; 116,20 f.; 168,32. Vgl. hierzu David Turner: Marginalien und Handschriftliches zum Thema: Fontane und Spielhagens Theorie der ›Objektivität‹, in: Fontane Blätter, H. 6 (1968) S. 265–281.

3,31 *die Woche nach Pfingsten:* Die Handlung des Romans spielt zwischen Pfingsten 1875 und Juli/August 1878. Zur Datierung vgl. 96,17 und 125,29.

4,1 *Wilmersdorfer Kirchturm:* Der spätere Berliner Stadtteil Wilmersdorf war damals noch ein Dorf, südwestl. von Berlin.

4,5 *Nimptsch:* nach Hans-Heinrich Reuter eine geheime Huldigung an den Lieblingsdichter des jungen Fontane: Nikolaus Lenau (1802–50), eigtl. Nikolaus Franz Niembsch, Edler von Strehlenau (»Fontane«, Berlin: Verlag der Nation, und München: Nymphenburger Verlagshandlung 1968, Bd. 1, S. 137).

4,6 *Lene:* Vgl. die Anm. zu 104,32–34; ferner 108,14; 182,4.

4,9 *Hausfront:* engl., Vorderseite des Hauses, ein Lieblingsausdruck Fontanes, vgl. 30,22; 34,23; 93,18; 111,5; 153,18, oder den ersten Satz in »Effi Briest«.

4,11 f. *Wrasen ... aus der Tülle:* norddt., Dampf aus der Ausgußröhre. Vgl. 27,20 f.

4,21 f. *mit einem Anfluge von ...:* Lieblingsausdruck Fontanes, typisch für seine reichnuancierte Charakterisierungskunst, wird in zahlreichen Variationen gebraucht, vgl. z. B. 7,11 f.; 82,10; 98,7 f.; 102,24 f.

4,23 *Frau Dörr:* nach Demetz (S. 194) ein Beispiel der ironischen Variation des allegorischen Namens bei Fontane, d. h. der Name deutet auf Qualitäten, die der Charakter nicht besitzt, vgl. die Beschreibung der Dörr, 4,29 f. Ein anderes Beispiel sind die Damen Ziegenhals und Bomst in »Frau Jenny Treibel«, 2. Kap.

4,24 ›*Schloß*‹*:* Vgl. 7,12–24.

5,3 *Hutsche:* Fußbank.

5,23 *man bloß:* Dial., nur; sehr oft und hauptsächlich von Frau Dörr gebraucht.

5,35 *die Matthäikirche un bei Büchseln:* Karl Büchsel (1803 bis 1889), Generalsuperintendent und Pfarrer an der im Tiergartenviertel gelegenen Matthäikirche, orthodoxer Theologe und bekannter Prediger. Büchsels »Erinnerungen aus dem Leben eines Landgeistlichen« (1863) übten großen Einfluß auf Fontane aus, vgl. dessen Brief an Theodor Hermann Pantenius vom 14. 8. 1893 (Briefe [Aufbau] II,310); ferner Hans Ester: Der selbstverständliche Geistliche. Untersuchungen zu Gestaltung und Funktion des Geistlichen im Erzählwerk Theodor Fontanes, Leiden: Universitaire Pers 1975, S. 6–8.

6,18–20 *propper ... Reelle:* frz. Fremdwörter, die schon tief in die Volkssprache eingedrungen waren (vgl. Schultz, S. 103). Vgl. die Anm. zu 146,30 f.

6,27 f. *un vielleicht is es eine Prinzessin oder so was:* Interessant in diesem modernen Zeitroman ist die rätselhafte, märchenhafte Herkunft der Pflegetochter (4,5 f.) von Frau Nimptsch. Vgl. das Motiv der »Märchenprinzessin« Marie Kniehase (auch Bürgermädchen) in »Vor dem Sturm«. Man hat dieses Motiv in »Irrungen, Wirrungen« als einen Verstoß gegen den Realismus kritisiert, vgl. die Rezension in der »Gegenwart« (im Kap. III,1).

6,33 *in Zivil:* Kleidung, im Unterschied zur Uniform. Vgl.

hierzu Schmidt-Brümmer: »Die Art der Kleidung Bothos, die fehlende Uniform, zeigt, daß er zu Lene gerade nicht als Baron kommen will; daß in dieser Beziehung offenbar die unterschiedliche Standeszugehörigkeit keine Rolle spielen soll« (S. 133).

## Zweites Kapitel

7,26 *Remise:* frz., Einstellraum.

8,16 f. *Estraden:* frz., vgl. 9,32; 11,16 *Blumenestrade:* Blumenarrangement auf einem stufenartig erhöhten Platz.

8,26 *Hühnerpassion:* Passion: lat., Vorliebe, Liebhaberei, Leidenschaft.

8,33 *Porree:* frz., Lauch.

8,34 *der richtige Berliner:* nach Erscheinen von Hans Meyers »Der richtige Berliner in Wörtern und Redensarten« (Berlin 1878) eine stehende Wendung.

8,35 *eine Weiße:* Berliner Weißbier aus Weizen- und etwas Gerstenmalz gebraut, stark kohlensäurehaltig, alkoholarm.

*Gilka:* Berliner Kümmelschnaps, nach dem Hersteller benannt.

8,37 *überhaupt ein Original:* Zu Fontanes Charakterisierungskunst gehört die Zeichnung von Nebenfiguren und (oft komischen) Originalgestalten.

9,17 *Pocke:* Warze, Narbe.

*Apartes:* lat./frz., ein Lieblingswort Fontanes, in dem Interessantes, Feines, Besonderes (Außergewöhnliches) und Reizvolles zusammengeschlossen sind (vgl. 129,29). Schorneck bezeichnet das Wort ›apart‹ als spezifisch »fontanesch« (S. 186, Anm. 81). In »Effi Briest« bildet das Wort eine Art Leitwort.

9,19 *ungenierten:* frz., zwanglosen.

9,21 *was Borsdorfriges:* Der Borsdorfer ist eine Apfelsorte mit kleinen braunen Warzen.

9,23 *Signalement:* frz., kurze Personenbeschreibung.

9,27 *Physiognomie:* frz., äußere Erscheinung, bes. Gesichtsausdruck, des Menschen.

9,29 *auch heute wieder:* typische Wendung für das Alltägliche, das Wiederholbare und das Wiederholte in Fontanes realistischen Romanen (vgl. 19,23). Die Formel bedeutet oft den Übergang zum szenischen Erzählen, vgl. Cordula Kahrmann: Idyll im Roman: Theodor Fontane, München: Fink 1973, S. 22.

10,1 *»Madams«:* Fontane amüsiert sich wiederholt, wie z. B. im »Stechlin«, 24. Kap., oder in »Von Zwanzig bis Dreißig«, Kap. 6 (»Der Tunnel über der Spree«) über »die ›Berliner Madam‹, ein Etwas, das die Welt nicht zum zweiten Male gesehn«.

11,1 *Windbüchse:* Luftgewehr.

11,2 *bei Mehles:* H. Mehles, damals weitbekannte Waffenhandlung, Ecke Friedrichstraße / Unter den Linden.

11,3 f. *kräht nich Huhn, nich Hahn danach:* berlinisch, danach kräht kein Hahn (niemand). Vgl. Fontanes Brief an seinen Sohn Theodor vom 17. 2. 1888 (im Kap. II).

11,11 *Coup:* frz., erfolgreicher Streich.

11,14 *Courage:* frz., Tapferkeit, Mut, völlig eingebürgertes Fremdwort (Schultz, S. 113).

Drittes Kapitel

11,33 *der muß dran glauben:* Redewendung, ›dem geht es ans Leben‹.

12,1 *Grieben:* ausgebratene Speckwürfel.

12,1 f. *Hundefett:* galt im Volksgebrauch als wirksames Heilmittel gegen Gicht und Rheuma.

12,7 *Hat's denn gefleckt?:* umgspr., im Sinne von: Hat es denn gelohnt?

12,19 *Husche:* Dial., Regenguß.

12,26 *Murks:* Dial., Mißwuchs, schlechtgewachsenes Zeug.

13,3 *Friesrock:* Fries: gerauhtes, grobfädiges Gewebe.

13,4 *aschblonden Haar:* Zur möglichen Farbsymbolik in der vergleichenden Charakteristik von Lene und Käthe (vgl. die Anm. zu 52,1–3) s. Faucher, Farbsymbolik, S. 70 f.: »Lene hat ein ausgeglicheneres Wesen als Käthe. [...] Bei ihr wird das Gelb durch eine Farbe der Nachtseite gemildert. Diese Mischung entspricht Lenes ausgeglicheneren Wesen, von dem Botho sagt: ›Sie hatte die glücklichste Mischung‹ [159,4 f.].«

13,12 *plätten:* bügeln. Zum Vorgang selbst vgl. 13,33 f. und 15,4–11.

13,24 *Schirmstellage:* Stellage: Gestell; Wortbildung aus ›stellen‹ mit frz. Nachsilbe.

13,25 *Gensdarmenmarkt:* in der Nähe der Friedrichstr., der heutige Platz der Akademie.

14,18 *Gärtners:* Fontane neigte zu einer Idiosynkrasie gegen Gärtner, vgl. seinen Brief an seine Frau vom 23. 8. 1883: »Aber je feiner das Metier (z. B. Gärtner), je eklicher der Kerl« (Briefe [Propyläen] I,244). Vgl. 22,20 f.; 120,16–24; ferner die Beschreibungen der Gärtner in »L'Adultera« (12. Kap.) und »Unwiederbringlich« (8. Kap.). Nach Wilfried Richter ist aber Fontanes »Charakteristik in mancher Beziehung durchaus zutreffend; die Berliner Gärtner waren als geizig bekannt« (Das Bild Berlins nach 1870 in den Romanen Theodor Fontanes, Diss. Berlin 1955, S. 22).

14,18 f. *rapschen und rapschen:* umgspr., raffen, zusammenraffen. Fontanes Technik, durch Wiederholung gleicher Wörter oder durch Koppelung äquivoker Wörter eine bestimmte Atmosphäre, einen bestimmten Stimmungsgehalt zu schaffen, ist in «Irrungen, Wirrungen« bes. entwickelt (vgl. Titel). Marianne Zerner (S. 30 f.) verzeichnet zahlreiche Beispiele solcher Koppelungen und Häufungen.

14,24 *Verbringerei:* Prasserei, Verschwendung.

14,30 *Schlag und Schlag:* Schlaganfälle.

15,18 f. *nich hüh un nich hott:* wenn man entgegengesetzter Meinung ist, wenn einander widersprechende Anweisungen oder Auskünfte gegeben werden.

15,20 *Stralau:* beliebtes Ausflugsziel der Berliner, an der Spree im östl. Berliner Gebiet.

15,24 *Lina Gansauge:* ein Fontane bekannter, in den Kriegsbüchern erwähnter Adelsname (General von Gansauge); auch in dem Aufsatz »Cafés von heute und Konditoreien von ehemals« verwendet: »Der Potsdamer Assessor Gansauge« (Hanser-Ausgabe, 2. Aufl., II,927).

15,31 *schunkelt:* Dial., schaukelt.

16,8 *Treptow:* damals ein selbständiger Vorort Berlins und vielbesuchter Ausflugsort.

16,30 *Landungsbrücke bei Tübbeckes:* Wirtshaus in Alt-Stralau Nr. 22, an der Spreeseite der Halbinsel gelegen.

17,19 *Kanal:* der Landwehrkanal.

17,28 *mehrstens:* meistens.

18,27 *Botho:* alter dt. männl. Vorname, Nebenform von Bodo (ahd. boto; asächs. bodo, ›Bote‹), zu Beginn des

19. Jh.s durch die Romantik (Ritterdichtung) neu belebt (vgl. Duden Lexikon der Vornamen, Mannheim: Bibliographisches Institut 1968, S. 48 f.). Frau Dörrs Bemerkung, *das is ja gar kein christlicher Name*, bezieht sich wohl auf diese germ., heidnische Herkunft, soll nicht, wie Schmidt-Brümmer (S. 136) meint, ausdrücken, daß ›Botho‹ innerhalb des Lebenskreises Lenes und Frau Dörrs fremd ist.

18,37 *drippen:* Dial., tropfen.

## Viertes Kapitel

20,13 *Knallerballer:* umgspr., schlechter Rauchtabak.

20,16 *Wahrsprüche:* Strafurteil, Spruch der Geschworenen; um 1840 als Lehnübersetzung von ›Verdikt‹.

20,26 *Ranunkeln:* gelbblühendes Wiesenunkraut.

21,14 f. *Jeder Stand hat seine Ehre:* Zu ›Stand‹ und ›Standesbewußtsein‹ in »Irrungen, Wirrungen« vgl. Walter Müller-Seidel: Theodor Fontane. Soziale Romankunst in Deutschland. Stuttgart: Metzler 1975, S. 253 f. (auch in Kap. IV,1).

21,16–23 *in Berlin ... Waschfrau:* Adelbert von Chamissos (1781–1838) Gedicht »Die alte Waschfrau« (1833) schließt mit den Versen: »Und ich, an meinem Abend, wollte, / Ich hätte, diesem Weibe gleich, / Erfüllt, was ich erfüllen sollte / In meinen Grenzen und Bereich; / Ich wollt, ich hätte so gewußt / Am Kelch des Lebens mich zu laben, / Und könnt am Ende gleiche Lust / An meinem Sterbehemde haben.«

21,24 *simperte:* Dial., redete einfältig vor sich hin.

21,29 f. *Wie Gott in Frankreich:* Die nach dem Krieg von 1870/71 in Deutschland wieder populär gewordene Redensart soll urspr. eine Anspielung auf die »Beschäftigungslosigkeit« Gottes dargestellt haben, als nach der Französischen Revolution zeitweilig der Kultus der Vernunft (1792–94) eingeführt worden war.

22,24 f. *ein goldener Pantoffel:* evtl. Anspielung auf die Brautwahl im Aschenputtel-Märchen.

22,28 *das gefranste Papier:* Franse (vgl. 157,4): frei herabhängender Faden oder eine Strähne aus Fäden als Ziersaum von Tüchern, Decken, Teppichen o. ä.

23,6–15 *»In Liebe ... Hölle offen«:* Jahrmarktsverse der

Zeit, die auch wohl in Alben zu lesen waren; hier als Vorausdeutung gebraucht.

24,9 *Komtesse:* frz., unverheiratete Gräfin.

*Flora:* Vergnügungs- und Konzertlokal in der Berliner Straße (jetzt: Otto-Suhr-Allee), in der Nähe des Charlottenburger Schlosses, 1874 eröffnet.

24,15 f. *Sächsische Schweiz:* populärer Name für Elbsandsteingebirge, zwischen Erzgebirge und Lausitz, mit Ort und Festung *Königstein* und dem 200 m über dem tiefeingeschnittenen Flußlauf der Elbe gelegenen Aussichtspunkt *Bastei.*

24,27 f. *Großer Garten, Zwinger, Grünes Gewölbe:* Der Große Garten, urspr. 1678 als Fasanengehege angelegt, war lange Zeit kurfürstlicher und wurde erst spät ein öffentlicher Naturpark. Der Zwinger, 1710 begonnen, war urspr. gedacht als Vorhof eines geplanten Schlosses. Um 1874 enthielt er eine Reihe künstlerischer und naturwissenschaftlicher Sammlungen, darunter die berühmte Gemäldegalerie und das Kupferstichkabinett. Das Grüne Gewölbe mit seinen kunsthandwerklichen Schätzen befand sich im königlichen Schloß.

24,29 f. *Kanne mit den törichten Jungfrauen ... Kirschkern:* beides im Grünen Gewölbe.

25,28 *Schlößchen Tegel:* von Karl Friedrich Schinkel (1781 bis 1841) in klassizistischem Stil umgebautes Landhaus der Familie Humboldt am Nordufer des Tegeler Sees.

*Saatwinkel:* idyllisches Ausflugsziel am Südende des Tegeler Sees.

25,28 f. *Valentinswerder:* Ausflugsinsel im südl. Tegeler See.

25,29 f. *Stadtbahn:* Die 15,5 km lange Stadtbahn zwischen den Bahnhöfen Westkreuz und Ostkreuz war erst 1882 eröffnet. Die Ringbahn wird seit 1871 betrieben.

25,30 *ob die Panke zugeschüttet werden soll:* Der Nebenfluß der Spree, der im Zuge der Ausbreitung Berlins immer mehr zu einem Abwässerkanal wurde, wird von dem geruchsempfindlichen Fontane oft erwähnt. Vgl. die Anm. zu 36, 16 f.; ferner Hermann Fricke: Zur Pathographie des Dichters Theodor Fontane, in: Theodor Fontanes Werk in unserer Zeit, Potsdam 1966, S. 105.

25,34 *redensartlich:* Vgl. hierzu Hans Ester: »Lene weist

Botho auf die Diskrepanz zwischen seinem Verhalten ihr gegenüber und seinem Verhalten in der adligen Gesellschaft hin. Sie wird später zu der Einsicht kommen: ›Du hast auch eine Maske‹ [62,18]« (Über Redensart und Herzenssprache in Theodor Fontanes ›Irrungen, Wirrungen‹, in: Acta Germanica. Jahrbuch des südafrikanischen Germanistenverbandes, Bd. 7, 1972, S. 111). Vgl. Vincent J. Günther: Das Symbol im erzählerischen Werk Fontanes, Bonn: Bouvier 1967, S. 56–59 (›Herz‹ im Gegensatz zu ›Redensartlichkeit‹ in: »Irrungen, Wirrungen«). Botho besinnt sich später auf Lenes Unredensartlichkeit, vgl. 117,26 f.; 144,11. Hier sei aber auch auf die wichtige Beobachtung Ingrid Mittenzweis hingewiesen: »Die sprachlichen Verhältnisse sind nicht säuberlich soziologisch getrennt: Redensartlichkeit ist nicht auf die oberen und Unredensartlichkeit nicht auf die unteren Stände beschränkt«; als Beispiele nennt Mittenzwei Käthe und Frau Dörr (Die Sprache als Thema. Untersuchungen zu Fontanes Gesellschaftsromanen, Bad Homburg: Gehlen 1970, S. 100 f.).

25,37 *Toiletten:* frz., hier: festliche Kleider. Vgl. 179,15.

26,5 *reizend:* Botho verwendet dieses Wort in seiner Phrasenhaftigkeit nicht nur in bezug auf seine Klubfreunde, sondern auch bei seiner Huldigung an Lene (27,11). Vgl. hierzu Kahrmann (S. 156; auch im Kap. III,3). Sonst taucht das Wort sehr oft in Verbindung mit der gesprächigen Käthe auf, vgl. z. B. 52,11; 128,23; 129,34; 138,12; 139,22; 140,32; 173,32.

26,6 *Pitt:* Vgl. die Anm. zu 62,2.

26,6 f. *Graditzer Rappstute:* aus dem staatlich-preuß. Gestüt bei Torgau.

26,10 f. *Der Kronprinz . . . Viktoria:* Friedrich Wilhelm von Preußen (1831–88), der spätere Kaiser Friedrich III., war seit 1858 verheiratet mit Viktoria, Prinzessin von Großbritannien (1840–1901), einer Tochter der Königin Viktoria von England.

26,12 f. *Liebes- und Zärtlichkeitsnamen:* Vgl. 61,34 (Necknamen). Zur Rolle der ›Necknamen‹ und literarischen Namen im Roman vgl. Schmidt-Brümmer (S. 177–186). Der Leser erfährt die wirklichen Namen von Bothos Klubkameraden nie; ihre Spitznamen haben »hermetischen Charakter«: »das Fehlen jeglicher Perspektivierung läßt diese Figuren zu Exponenten einer bestimmten Gesellschaftsschicht werden« (S. 180).

26,14 *Konzert:* im Konzertgarten des Zoologischen Gartens.

26,17 *Contre ... Française:* französische Tänze.

26,31 *»En avant deux, Pas de basque«:* frz., »zwei Schritte vor, baskischer Schritt«; Tanzanweisung für den 6/8-Takt.

27,14 *mir schuddert:* mich schüddert's (schüttelt es).

## Fünftes Kapitel

29,14 ff. *im Garten war alles Duft und Frische ...:* tiefgehende Kindheitseindrücke Fontanes, vgl. »Meine Kinderjahre« (1894), Kap. 4.

29,16 *Levkojen:* in Deutschland als Zierpflanze kultivierte, im Mittelmeergebiet heimische Gattung der Kreuzblütler (griech., ›Veilchen‹, wegen des Blütenduftes).

29,16 f. *Reseda:* Gattung der Resedagewächse mit gelblichen oder weißlichen Ähren als Blütenstand; angenehm duftende, als Zierpflanze angebaute Art.

29,18 *Thymian:* ätherische Öle enthaltende Gattung halbständiger Lippenblütler, Quendel. Thymus: Gewürz aus dieser Pflanze.

31,20 f. *Elefantenhause:* im Zoologischen Garten. Vgl. Fontanes Brief an Emil Schiff vom 15. 2. 1888 (im Kap. II).

31,32 f. *Schloß Zehden:* der Rienäckerische Familienbesitz, nach dem Städtchen Zehden an der Oder, in der nordwestl. Neumark (Teil der Mark Brandenburg, der jenseits der Oder liegt).

32,3 f. *Meine Mutter hatte eine rasche Hand:* Vgl. »Meine Kinderjahre«, Kap. 2, über Fontanes Mutter: »Bei dem kleinsten Fehler zeigte sie die ›rasche Hand‹, über die sie überhaupt verfügte.«

32,16 *Demokratin:* Siehe die Rezension von Paul Schlenther in Kap. III,1.

33,19–21 *Alle schönen Männer ... beherrscht sie:* Vgl. Bothos Selbstbeurteilung, 99,14 ff.; 100,36 ff. Zu Fontanes ›schwachen Helden‹ vgl. Rosemary Park: Theodor Fontane's Unheroic Heroes, in: Germanic Review, Bd. 14

(1939) S. 32–44. Park stellt auch fest: »Unlike the male characters, [...] all [Fontanes] women decide and act« (S. 43). Nach Karl Richter ist aber Parks Deutung von Bothos Resignation zu negativ; Park übersehe die Doppeldeutigkeit, die Ambivalenz dieser Resignation: »Sie ist Ergebung in das Unabänderliche, Unterwerfung; aber als solche hat sie Züge der Bewußtheit und Einsicht zur Voraussetzung, die über jegliches nur Fatalistische und Passive hinausweisen. Sie ist Verzicht auf eine wirkliche Auflösung aufgeworfener Widersprüche; doch ging dem eine Erkenntnis der Unlösbarkeit voraus. Sie ist Eingeständnis des Schwächeren; aber paradoxerweise verbirgt sich gerade in der Bewußtheit der Unterwerfung ein Maß an menschlicher Kraft [...]. In diesem Sinne ist Lene [...] eine der stärksten und menschlich überzeugendsten Gestalten Fontanes« (Karl Richter: Resignation. Eine Studie zum Werk Theodor Fontanes, Stuttgart: Kohlhammer 1966, S. 32).

33,36 *die Lästerallee:* die Promenade des Zoologischen Gartens, zu deren Seiten die ›Lästerer‹ saßen und die Promenierenden glossierten.

34,5 f. *Ach, das arme bißchen Leben:* Anklang an Luise Millerin in Schillers bürgerlichem Trauerspiel »Kabale und Liebe« (1784): »Dies bißchen Leben« (I,3)? Zum Vergleich zwischen Lene und Luise siehe die Kritik von Franz Mehring (Kap. III,1) sowie die Ausführungen von Walter Müller-Seidel (Kap. IV,2).

Sechstes Kapitel

34,22 *Bellevuestraße:* vornehme Wohnstraße zwischen dem Potsdamer Platz und dem südlichen Rand des Tiergartens; Bellevue: frz., ›schöne Aussicht‹.

34,23 *Baron Botho von Rienäcker:* Erst wo er zu Hause (d. h. in seinem standesgemäßen Milieu) vorgestellt wird, wird Botho mit vollem Namen genannt. Der Familienname (übrigens kein Adelsname, sondern Name bürgerlicher Offiziere in verschiedenen Regimentern) akzentuiert die gesellschaftliche Stellung Bothos gegenüber Lene; am fehlenden Familiennamen konkretisiert sich hingegen das Glück der Selbstvergessenheit (als er bei Lene zu Besuch ist), vgl. Schmidt-Brümmer, S. 137 f.

34,26 f. *eine geschmackvolle ... Einrichtung:* typisch für die Gründerzeit, vgl. Richard Hamann / Jost Hermand: »In allem [d. h. in der ganzen Wohnkultur] drückt sich ein Adel aus, der sich durch gekaufte, nicht ererbte Altertümlichkeit beweist« (Epochen deutscher Kultur von 1870 bis zur Gegenwart, Bd. 1: Gründerzeit, München: Nymphenburger Verlagshandlung 1971, S. 25). Zu Bothos Lebensstil vgl. 51,18 f., zum Lebensstil seines Vaters 47,3–9, zu den finanziellen Schwierigkeiten der Familie 96,17 ff.

34,28 f. *Hertelsche Stilleben:* Albert Hertel (1843–1912), Berliner Landschaftsmaler, bekannt als guter Kolorist.

34,29 f. *Bärenhatz ... Rubens:* Das Gemälde gehört zu den unbekannteren Werken von Peter Paul Rubens (1577 bis 1640).

34,30 f. *ein Andreas Achenbachscher Seesturm:* Andreas Achenbach (1815–1910), Landschaftsmaler der Düsseldorfer Schule, bekannt durch seine auf starke koloristische Wirkung berechneten Seebilder und Landschaften.

35,3 *Achenbach-Enthusiasten:* Fontane selbst hielt Achenbach für einen der ausgezeichnetsten Landschaftsmaler der Zeit und bekannte: »Wir wüßten wenige Künstler herzuzählen, denen wir uns so verpflichtet fühlten« (»Berliner Kunstausstellung«, 1864). Laut Fontane wurden Achenbachs Bilder auch von Privaten (Adel, reiche Handelsherren) sehr gesucht (»Kurzbiographie«, 1862). Vgl. Fontane, Aufsätze zur bildenden Kunst, hrsg. von Rainer Bachmann und Edgar Gross, München: Nymphenburger Verlagshandlung 1970 (Sämtliche Werke, Bd. 23), 1. Teil, S. 293, 476, 478.

35,10 f. *Malachittischchen:* Malachit, ein grünes Mineral, zu Einlegearbeiten bei Tischplatten verwendet.

35,15 *Schnack:* nddt., Unterhaltung, Plauderei.

35,36 f. *Ostensches Wappen:* von der Osten, bekannte Adelsfamilie, urspr. aus dem Bremenschen Raum, später in Vor- und Hinterpommern angesiedelt.

36,3 *Renz:* der 1846 von Ernst Jakob Renz (1815–92) gegründete Zirkus, der ab 1879 ein festes Haus an der Stelle des späteren Großen Schauspielhauses in der Friedrichstadt hatte.

*Bellevuestraße (Album von Berlin, 1906)*

36,4 *Kroll:* Krolls Etablissement im Vergnügungsviertel des Tiergartens (Konzerthaus und Theater), die spätere Kroll-Oper.

36,4 f. *das eine ... lassen:* Redewendung nach Matth. 23,23.

36,10 *Hotel Brandenburg:* in der Charlottenburgstr. 71.

36,16 f. *eure Luft ... ein stickiges Nest:* Vgl. 38,35; 44,3 f.; 176,7 f.; ferner Fontanes Brief an Friedrich Stephany vom 28. 7. 1886: »Ein Berliner Sommer, trotz Hobrecht [Stadtbaurat, später Bürgermeister] und Kanalisation [zwischen 1873 und 1893 gebaut, vgl. 123,23], ist und bleibt etwas Schreckliches« (Briefe [Aufbau] II,151). Baron Ostens Klage (Klage des Landadels) ist, wie Walther Killy bemerkt, für den Zeitwandel, für die Entwicklung Berlins, bes. nach der Reichsgründung, zu einer hochindustriellen Großstadt, symptomatisch (Romane des 19. Jahrhunderts. Wirklichkeit und Kunstcharakter, Göttingen: Vandenhoeck & Ruprecht 1967, S. 196).

36,18 *Hiller:* damals das modernste Weinrestaurant in Berlin, Unter den Linden.

36,22 *Borchardt:* vornehmes Weinlokal in der Französischen Straße (heute »Lukullus«).

36,28 *Billett:* frz., Briefchen.

37,5 *Korso:* ital., Festzug blumengeschmückter Wagen.

37,6 *Alleh:* Lenes Fehlschreibung von ›Allee‹ und anderen Wörtern in ihrem Brief verrät den Bildungsunterschied zwischen ihr und Botho. Zur Bedeutung dieser Fehlschreibungen siehe Fontanes Brief vom 26. 7. 1887 an Friedrich Stephany (im Kap. II). Zu Bothos Reaktion vgl. 37,35 ff.; 158,37 ff. Vgl. ferner 79,34–37 und die Anm. zu 133,36.

37,37 *Crayon:* frz., Bleistift.

38,2 f. *Kalligraphisch gewiß und orthographisch beinah:* typische Konstruktion in diesem Roman; Bedeutung sowie Tonfall erhalten durch kleine, modifizierende Wörter wie ›gewiß‹ und ›beinah‹ Nuancierung. Kalligraphisch: griech., schönschreibend; orthographisch: griech., rechtschreibungsgemäß.

38,3 *Stiehl:* Anspielung auf Ferdinand Stiehl (1812–78), Geheimer Regierungsrat im preuß. Kultusministerium, Verfasser der »Regulative« für den Volksschulunterricht.

38,25 f. *roten Bändchen ... Briefe Lenens:* Vgl. 158,23 f.;

*Krolls Etablissement (Berlin. Ein Führer durch die Stadt und ihre Umgebungen von Robert Springer, 1861)*

ferner »Effi Briest«, 27. Kap.: »das kleine, mit einem roten Faden zusammengebundene Paket« (Crampas' Briefe an Effi). Zur Bedeutung der Farbe vgl. Faucher, Farbsymbolik.

38,31 *nach ein:* Vgl. die Erstausgabe (Leipzig: Steffens 1888, S. 58): »nach 1«; Ges. Romane u. Novellen (Berlin: F. Fontane 1891, Bd. 10, S. 275): »nach ein«; die Aufbau-Ausgabe (Bd. 5, S. 39): »nach eins«.

39,11 *das Tor:* das Potsdamer Tor.

39,12 f. *Camera-obscura-Glase:* die Mattscheibe der Camera obscura, auf der ein umgekehrtes Bild erscheint. Zur Bedeutung dieses Bildes für die Interpretation von Bothos Haltung vgl. Kahrmann, S. 159 (auch im Kap. III,3).

39,15 *eine der besten Welten:* Anspielung auf die These des Philosophen Gottfried Wilhelm Leibniz (1646–1716), daß die Welt »die beste aller möglichen Welten« sei (»Theodizee«, 1710).

Siebentes Kapitel

39,20 *Rendezvous:* frz., Treffen.

39,22 *Lepke:* bekannte Berliner Kunsthandlung Unter den Linden, Ecke Wilhelmstraße.

39,22 f. *Oswald Achenbachs:* Bilder von Oswald Achenbach (1827–1905), Bruder und Schüler von Andreas Achenbach (vgl. Anm. zu 34,30 f.), ebenfalls Landschaftsmaler der Düsseldorfer Schule, bevorzugte ital. Motive.

39,23 f. *palermitanische:* Palermo: Stadt und Provinz in Sizilien.

39,25 *frappierenden:* frz., auffallenden, beeindruckenden.

39,30 f. *Jedenfalls . . . mannigfacher:* Fontane lobt bei Oswald Achenbach bes. die Behandlung von Farbe und Licht, bezeichnet ihn aber als einen »Virtuosen«, während er Andreas Achenbach für einen wahren Künstler (»vom Scheitel bis zur Sohle«) hält. Vgl. Nymphenburger-Ausgabe, Bd. 23/I, S. 292, 479.

40,4 f. *Wolfschen Löwengruppe:* die Bronzegruppe »Die sterbende Löwin« des begabten Tierbildhauers Friedrich Wilhelm Wolff (1816–87), 1876 im Tiergarten aufgestellt.

40,8 *Redernschen Palais:* das von Karl Friedrich Schinkel erbaute Palais des Grafen Friedrich Wilhelm von Redern

(1802–83), von 1828 bis 1842 Generalintendanten der königlichen Theater; 1906 abgerissen.

40,9 *Wedell von den Garde-Dragonern:* bekannte Adelsfamilie aus der Neumark; Wedells dienten damals in verschiedenen Dragonerregimentern, aber nicht bei den Garde-Dragonern. Vgl. 174,3 ff.; 179,21 ff.

40,17 *Bentsch, Rentsch, Stentsch:* Diese märkischen Orte heißen tatsächlich Bentschen, Rentschen, vgl. Erich Biehahn: Ein denkwürdiger Reim, in: Jahrbuch für brandenburgische Landesgeschichte, Bd. 20 (1969), S. 26.

40,23 *Wietzendorfer:* ein Julius von der Osten besaß das neumärkische Schloß Warnitz. Wietzendorf liegt südöstl. von Soltau. Vgl. die Anm. zu 35,36 f.

41,10 f. *Stuhl- und Tischdefilee:* Defilee: parademäßiger Vorbeimarsch.

41,16 *Kabinetts:* frz., kleine Zimmer.

41,21 *Kuvert:* frz., hier Tischgedeck.

41,21 f. *Pallasch und Säbel:* Rienäcker trug den Pallasch, den Kürassierdegen, Wedell als Dragoner den Säbel.

42,14 *Cliquot:* Veuve Cliquot (Witwe Cliquot), frz. Sekt.

42,17 *Scheffel:* altes Hohlmaß landschaftlich sehr verschiedener Größe; hier mit der Bedeutung: weit entfernte Verwandtschaft.

42,25 f. *Dobeneck:* Freiherr Ferdinand Dobeneck (1791 bis 1867), preuß. Generalleutnant.

42,30 *von Anno 13 und 14 her:* Dobeneck hatte als junger Offizier an den Befreiungskriegen teilgenommen.

42,35 *Manteuffel:* Edwin Hans Karl Freiherr von Manteuffel (1809–85), preuß. Generalfeldmarschall, 1857–65 Chef des Militärkabinetts, Reorganisator der preuß. Armee.

43,5 *Kongestionen:* lat., Blutandrang.

43,11 f. *ein gewisser Kürassieroffizier:* Anspielung auf Bismarck (1815–98), der gern die Uniform des Halberstädter Kürassier-Regiments Nr. 7 trug.

43,16 f. *St. Privat . . . Sedan:* Schlachtorte im Dt.-Frz. Krieg von 1870/71.

43,17 *den großen Zirkel gezogen:* durch die Einkreisung der frz. Truppen die Kapitulation bei Sedan erzwungen (am 1. 9. 1870).

43,18 f. *Referendar:* Anwärter auf die höhere Beamtenlaufbahn im Vorbereitungsdienst nach der (ersten) Staatsprüfung.

43,20 *Meding:* Freiherr August Friedrich Wilhelm von Meding (1792–1871), Geheimer Rat und Oberpräsident der Provinz Brandenburg. Bismarck war 1837/38 Referendar der brandenburgischen Provinzialregierung.

43,21 f. *nichts gelernt als Depeschen schreiben:* Anspielung auf die von Bismarck in provokativer Absicht redigierte und der Presse zur Veröffentlichung (in der »Norddeutschen Allgemeinen Zeitung« vom 13. 7. 1870) übergebene Depesche über die Vorgänge in Bad Ems, aus denen sich der Dt.-Frz. Krieg entwickelte.

43,24 *Federfuchser:* verächtliche Bezeichnung eines Büroschreibers.

43,25 *Fehrbellin:* Bei Fehrbellin siegte Kurfürst Friedrich Wilhelm, der »Große Kurfürst« (1620–88), 1675 über die Schweden.

43,26 *Leuthen:* Sieg der preuß. Armee unter Friedrich II., dem Großen (1712–86), über die Österreicher zu Beginn des Siebenjährigen Krieges, 1757 in der Nähe von Breslau.

43,27 *Blücher:* Gebhardt Leberecht Blücher, Fürst von Wahlstatt (1742–1819), preuß. Feldmarschall, der »Marschall Vorwärts« der Befreiungskriege.

*York:* Johann David Ludwig Graf Yorck von Wartenburg (1759–1830), preuß. Feldmarschall, errang bedeutende Erfolge in den Befreiungskriegen. Johann Gustav von Droysens (1808–84) Biographie von Yorck (Berlin 1851) gehörte zu den »historischen und biographischen Sachen«, die am meisten Einfluß auf Fontane (z. B. »Vor dem Sturm«) übten, vgl. Fontanes Brief an Theodor Hermann Pantenius vom 14. 8. 1893 (Briefe [Aufbau] II,310).

43,34 *Kreuzzeitung:* Die 1848 gegründete, nach dem Eisernen Kreuz, ihrem Titelemblem, benannte »Neue Preußische Zeitung«, das Organ der evangel. Hochkonservativen, geriet mit der Regierung häufig in Konflikt, vgl. die Anm. zu 101,21.

43,35 *Sottisen:* frz., Beleidigungen, Grobheiten.

44,17 *Solchen Mann ... aus unsrer besten Familie:* Der Bismarck-Gegner Graf Harry von Arnim (1824–81), seit 1872 Botschafter in Frankreich, wurde 1874 abberufen und wegen angeblicher Unterschlagung von Staatsdokumenten aus dem Archiv der Pariser Botschaft zu Gefängnis verurteilt; er floh ins Ausland und griff Bismarck in der Presse an. Er wurde in Abwesenheit zu fünf Jahren Zuchthaus verurteilt. Zur Anspielung auf die Arnim-Affäre vgl. die Rezension von Otto Pniower im Kap. III,1.

44,19 *Hohenzollerntum:* Hohenzollern: Familie der preuß. Könige (1701–1918) sowie der dt. Kaiser (1871–1918).

44,21 *Boitzenburger:* vermutlich Friedrich Adolf Graf von Arnim-Boitzenburg (1832–87), Oberpräsident der Provinz Schlesien, Führer der Konservativen; 1880/81 Präsident des deutschen Reichstags.

44,23 *Affront:* frz., Beleidigung.

45,3 *Macht gehe vor Recht:* Anspielung auf ein irrtümlich Bismarck zugeschriebenes politisches Schlagwort, das auf eine Auseinandersetzung zwischen diesem und dem Grafen Schwerin im Preuß. Abgeordnetenhaus zurückgeht: »Konflikte [. . .] werden zu Machtfragen; wer die Macht in seinen Händen hat, geht dann in seinem Sinne vor«, hatte Bismarck am 27. 1. 1863 geäußert, worauf Schwerin am 13. 3. erwiderte, die Rede des Ministerpräsidenten habe in dem Satz: »Macht geht vor Recht« kulminiert. Bismarck hat sich dagegen wiederholt verwahrt.

45,4 *Appell:* hier: Einspruch, Berufung.

45,9 *Gesinnung:* überhaupt ein wichtiger Begriff bei Fontane, erklärt seine Vorliebe für den Landadel und bes. für die »alten Familien«, vgl. z. B. Fontanes Charakterisierung von Friedrich August Ludwig von der Marwitz (1777–1837) in »Wanderungen durch die Mark Brandenburg«, Bd. 2 »Das Oderland«; Berndt von Vitzewitz' Aussage in »Vor dem Sturm« (81. Kap.) über »die Profile« und »die Gesinnung« als »das Beste, was der Adel hat«; Pastor Lorenzens Predigt über Dubslav von Stechlin: »Er war kein Programmedelmann, kein Edelmann nach der Schablone, wohl aber ein Edelmann nach jenem alles Beste umschließenden Etwas, das Gesinnung heißt« (43. Kap.).

45,16 f. *nur der Reine darf alles:* Vgl. Sprüche Salomos, 21,8: »[. . .] wer aber rein ist, des Werk ist recht«; auch Psalm 73,1. Hier schwingt zugleich der »Hofpredigerton der Wilhelminischen Zeit« mit (Killy, S. 196). Killy analysiert das politische Gespräch dieses Kapitels in seiner zeichenhaften Bedeutung für das Romangeschehen, zugleich als »Abkürzung« für »einen ganzen Geschichtsaugenblick«.

45,18–21 *wiederholte ... durchdrungen sei:* Trotz seines epigrammatischen Charakters ist der Satz (45,16 f.) für den skeptischen alten Fontane untypisch, weil er eine absolute These ausdrückt. Vgl. Baron Ostens Reaktion mit dem wiederum epigrammatischen Satz von Dubslav von Stechlin, der viele autobiographische Züge Fontanes trägt: »Unanfechtbare Wahrheiten gibt es überhaupt nicht, und wenn es welche gibt, so sind sie langweilig«, im 1. Kap. des »Stechlin«. Sonst zeigt Fontane eine Vorliebe für epigrammatische (oft ironische) Aussagen.

45,23 *meinem Pastor:* Zum Patronatsverhältnis zwischen Adel und Geistlichkeit in Preußen vgl. Ester: Der selbstverständliche Geistliche, S. 57–59.

45,30 f. *Sellenthins:* Bei dem in Nimptsch liegenden Landwehr-Regiment Nr. 51 war (1884) ein Offizier namens Sellenthin.

46,3 *deine Käthe:* Baron Osten deutet auf die damals im Landadel noch übliche Sitte der frühen Absprache über die Ehe der Kinder (vgl. Killy, S. 197). Zur erzählerischen Bedeutung dieser Figur vgl. Schmidt-Brümmer, S. 151–155 (auch im Kap. III,3).

46,11 f. *Du bist ... gebunden:* Vgl. die Anm. zu 46,3. Onkel Osten meint Käthe, seine Aussage deutet aber über sie hinaus auf Bothos Gebundenheit an die Gesellschaft. Das Wort ist eine Art Leitwort im ganzen Roman, vgl. 71,30 f.; 72,5; 159,32; ferner die Anm. zu 105,19.

46,13 *Revue passieren:* frz., kritisch prüfen.

46,20 *Norderney:* Urlaubsort auf einer ostfriesischen Insel in der Nordsee, von Fontane gern besucht, auch zur Arbeit (z. B. an »Graf Petöfy«, 1882/83).

46,24 f. *Kluckhuhn:* Der Name auch in »Vor dem Sturm« und »Der Stechlin«.

46,27 f. *zedieren:* frz., abtreten.

46,34 f. *Muränensee:* Fontane meint nicht Muränen, sondern Maränen, eine Lachsart. Vgl. seinen Brief an Emil Schiff vom 15. 2. 1888 (im Kap. II).

47,5 *L'hombre:* frz. Kartenspiel.
47,7 *parzelliert:* frz., aufgeteilt.
47,11 f. *meine Frau Schwester Liebden:* veraltete, ehrende Anredeform (Euer Liebden) unter Monarchen, hier von Bothos Onkel ironisch benutzt.
47,15 *Kaiserkürassieren:* das Brandenburgische Kürassier-Regiment Nr. 6, Kaiser Nikolaus I. von Rußland, ein traditionsreiches, vornehmes Regiment. Vgl. 138,26–28.
47,25 *Garçonschaft:* frz., Junggesellenschaft, vgl. 158,15.
47,27 *verplempert sich:* verplempern: urspr. mundartl. ›verschütten‹, unnütz verbrauchen, auch ›sich verlieben‹.
*Bourgeoise:* frz., Bürgermädchen.
47,31 *Heidsieck:* berühmter, teurer frz. Sekt der Firma Heidsieck in Reims.

## Achtes Kapitel

48,3 *Gardes du Corps:* Leibgarden, Name des berühmtesten Kavallerieregiments (Kürassiere) der preuß. Armee.
48,4 *Pasewalkern:* das in Pasewalk (in Pommern) stationierte Kürassier-Regiment Nr. 2.
48,9 *Pikett:* frz. Kartenspiel.
48,29 *Error in calculo:* lat., Irrtum in der Rechnung.
48,30 *heimliche Gichtelianer:* Die Anhänger des Mystikers Johann Georg Gichtel (1638–1710), dessen schwärmerisch-religiöse Lehren die Reinheit und Vollkommenheit der Seele predigten, nannten sich selbst Engelsbrüder, weil sie nach dem Gebot der Ehelosigkeit lebten.
48,34 f. *Afzelius:* Offiziersname, in der Rangliste 1884 wiederholt vertreten.
49,3 *Moltke:* Helmuth Graf von Moltke (1800–91), 1858 Chef des preuß., 1871–88 Chef des dt. Generalstabes.
49,7 *Humboldt:* Alexander von Humboldt (1769–1859), Autor zahlreicher naturwissenschaftlicher Werke, bes. über dt. Historiker des 19. Jh.s.
seine Forschungsreisen in Süd- und Mittelamerika.
*Ranke:* Leopold von Ranke (1795–1886), der führende
49,12 *Boulekegel:* Poulekegel, die bei einer Spielart des Billard, dem Kegelbillard, gebraucht werden.
49,17 *Whist:* engl. Kartenspiel.
49,30 *Points:* Stiche beim Kartenspiel.

49,34 *Remontoiruhr:* Taschenuhr mit Knopfaufzug, im Gegensatz zu älteren Uhren, die mit einem Schlüssel aufgezogen wurden.
50,5 *brüskiert:* frz., schroff behandeln, hier: herausfordern.
50,12–15 *Alle Genüsse ... einzig Reale:* nach der Hanser-Ausgabe (2. Aufl., II,934) ein verballhorntes Zitat, evtl. Schopenhauer, dem Tonfall Serges karikierend angepaßt?
50,21 *lawn:* engl., Rasen.
50,22 *en vue:* frz., vor Augen, vor uns.
50,24 *Fürst Pückler:* Hermann Ludwig Heinrich Fürst von Pückler-Muskau (1785–1871), bekannter Reiseschriftsteller und Schöpfer berühmter Parkanlagen in Muskau und Branitz.
50,30 *Puttkamers:* Bismarcks Frau Johanna war eine geborene Puttkamer.
50,37 *recte:* lat., gerade, geradewegs.
51,6 *Bon-Garçon:* frz., guter Kerl.
51,7 *Pfiffikus:* studentenspr. Substantivierung von ›pfiffig‹ mit lat. Endung, ›pfiffiger Kerl, Schlaukopf‹.
51,10 *Tant mieux:* frz., um so besser.
51,18 f. *er hat 9000 jährlich und gibt 12 000 aus:* Zur Veranschaulichung des Unterschieds im Lebensstandard von Botho und Lene sei auf die Angaben über die weiblichen Arbeitsbedingungen in der Berliner Hausindustrie bei August Bebel (1840–1913): Die Frau und der Sozialismus (1883), Stuttgart/Berlin: Dietz 1922, S. 227 f., hingewiesen. Nach Bebel verdiente eine Näherin (Lene ist Plätterin bzw. Stickerin, vgl. 112,4–7) im Durchschnitt 5 bis (unter den günstigsten Bedingungen) 10 Mark pro Woche. Vgl. die Angaben des »armen Mädchens« aus dem Volke Grete (auch Näherin) in Paul Lindaus Berliner Roman »Arme Mädchen« (Stuttgart/Berlin: Cotta 1887), S. 29 f. (Handlungszeit 1878/79; vgl. die Anm. zu 3,31).
51,26 f. *Alle Cousinen ... Paula:* Der Vorname war in der zweiten Hälfte des 19. Jh.s überaus beliebt (Duden Lexikon der Vornamen, S. 167).
52,1–3 *Flachsblondine ... weniger Mond als Sonne:* Vgl. die Anm. zu 13,4. Nach Eugène Faucher (S. 68) steht Käthe, die »Flachsblondine«, unter dem Zeichen des Gelbs, aber auch unter dem Zeichen der Sonne: »weniger Mond

als Sonne«. In diesem Zusammenhang deutet Faucher Gelb als eine (nach Goethes Farbenlehre) »heitere Farbe«.

52,3 f. *bei der Zülow in Pension:* Fräulein M. von Zülow leitete eine »Pensions-Anstalt für Töchter aus gebildeten Ständen«, Kochstraße 73; auch Fontanes Tochter Mete besuchte diese Privatschule.

52,10 *Bachstelze:* kleiner, schlanker Vogel mit hohen, langzehigen Füßen; hier junges, schlankes Mädchen.

52,11 *Backfisch:* urspr. ein kleiner Fisch, der noch nicht zum Sieden, sondern nur zum Backen geeignet ist. Zuerst als Bezeichnung für unreifen Studenten, dann auch für halbwüchsiges Mädchen.

52,12 *Haardutt:* Berl. Dial., Haarknoten.

52,13 *Wocken:* niederdt., Spinnrocken, Holzstock, um den die Fasern zum Verspinnen geschlungen sind.

52,22 *Balafré:* frz., balafre, ›Schmarre‹; Le Balafré (der Benarbte), Beiname des Herzogs Heinrich von Guise (1519–1588), Anspielung auf eine Kriegsverwundung, vgl. 127,3–6.

52,24 *Weißzeugdame:* Näherin für Bettwäsche, Tischwäsche und Oberhemden.
*zur weißen Dame:* Gemeint ist: zur Gattin. Anspielung auf die damals vielgespielte Oper »Die weiße Dame« von François-Adrien Boieldieu (1775–1834), in der ein Graf die Ziehtochter des Schloßverwalters heiratet, die als ›weiße Dame‹ verkleidet den Besitz des Grafen rettet.

52,25 *Schloß Avenel:* in Schottland, der Schauplatz in Boieldieus Oper. Vgl. auch Walter Scotts (1771–1832) »The Monastery« (1820).

## Neuntes Kapitel

53,30 *Und so geschah es:* eine typische Fontanesche Wendung, die mit Variationen (z. B. *und wirklich*, 54,13; *und siehe da*, 57,23; *und so war es*, 81,27; *und wahrlich*, 108,29 f.) sehr oft im Roman gebraucht wird.

55,29 *Poggen:* niederdt., Frösche.

56,3 f. *Adebar ... bester:* Anspielung auf den Neckreim: »Adebar, du guter, bring mir einen Bruder, Adebar, du bester, bring mir eine Schwester.« Adebar: nddt. und poetisch für Storch.

56,19 *piekt:* norddt., steckt.
56,26 *Peden:* ostmitteldt., Quecken oder Läusekraut.
56,29 *Werft:* niederdt., üknstlicher Erdaufwurf, Hügel.
56,32 *Kegelbahntabagie:* Gaststätte mit Kegelbahn. Tabagie: frz., Bezeichnung eines Lokals, in dem geraucht werden durfte.
56,37–57,3 *als Kind ... machen wird:* Das Bild der Kegelbahn ist ein Kindheitseindruck Fontanes (vgl. »Meine Kinderjahre«, Kap. 9), der in seinen Werken häufig wiederkehrt, z. B. in »Allerlei Glück« (Hanser-Ausgabe, V,652 f.) oder in »Unterm Birnbaum« (1. Kap.).
57,12 *puppre:* Berl. Dial., klopfe, zittre (vor Angst, Aufregung).
57,19 f. *Sandhase:* Fehlwurf beim Kegeln.
57,33 *Vielliebchen:* aus Frankreich stammender Brauch, daß Liebesleute miteinander Zwillingsfrüchte essen; wer den anderen beim Wiedersehen mit dem Gruß »Guten Morgen, Vielliebchen« überrascht, darf ein Pfand (z. B. einen Kuß) fordern, es sei denn, der andere hat sich beim Vielliebchen-Essen durch die Formel »J'y pense« (Ich denke daran) gesichert.
58,9 *abgeäschert:* Berl. Dial., ermüdet, abgearbeitet (wie der Äscherer der alten Forstwirtschaft, der Holzasche bereitete).
59,4 f. *Morgenrot ... Grab:* »Reiters Morgengesang« (1824) von Wilhelm Hauff (1802–27): »Morgenrot, Morgenrot, leuchtest mir zum frühen Tod«, endet mit: »Morgen in das kühle Grab.«
59,6 f. *Übers Jahr, übers Jahr:* Anfang der dritten Strophe des Volksliedes: »Muß i denn, muß i denn ...«
59,7 *Denkst du daran:* Duett aus dem Singspiel »Der alte Feldherr« (1826 in Berlin uraufgeführt) von Karl von Holtei (1798–1880), verherrlichte den poln. Freiheitskampf (1794) unter Thadäus Kosciuszko.

## Zehntes Kapitel

61,3 *Küchenschapp:* niederdt., Schrank mit Doppeltür.
61,13 *»Was zu wissen not tut«:* Die Anregung zu diesem Titel hat Fontane vermutlich einem Buch entnommen, das er in »Kriegsgefangen« (»Ins alte, romantische Land«,

Kap. 2) erwähnt: »Peter Parley's Reise um die Welt, oder was zu wissen not tut«. Pseudonym des amerikan. Schriftstellers, Pädagogen und Verlagsbuchhändlers Samuel Griswold Goodrich (1793–1860), der zahlreiche Schul- und Kinderbücher veröffentlichte (vgl. Fontane: Aufsätze, Kritiken, Erinnerungen, Hanser-Ausgabe, 3. Abt., Bd. 4: Autobiographisches, S. 550, 1240).

61,14 *Traktätchen:* lat., religiöse Flugschriften.

62,2 *Pitt ... englischer Staatsmann:* vermutl. der jüngere (und berühmtere) William Pitt (1759–1806), der zweimal brit. Premierminister war und die dritte Koalition gegen Napoleon bildete.

62,6 f. *russischer Vorname ... Großfürsten:* Serge, nach dem hl. Sergius, dem Märtyrer von Cäsarea (um 304); von russ. Großfürsten trug u. a. Sergius Alexandrowitsch (1857–1905) diesen Namen.

62,13 *Der Mann mit der eisernen Maske:* vermutl. Anspielung auf das Trauerspiel »Die eiserne Larve« (1804) von Heinrich Zschokke (1771–1848), das die Geschichte des geheimnisvollen Staatsgefangenen Ludwigs XIV. auf die Bühne brachte, der stets eine Maske tragen mußte und 1703 in der Bastille starb. Vgl. auch »Le prisonnier de la bastille« (1861) von Alexandre Dumas fils (1824–95), dem Fontane 1871 begegnete, und Berthold Auerbach (1812 bis 1882), »Von dem Gefangenen und der eisernen Maske«.

62,36 *Immortellen:* lat./frz., ›Unvergängliche‹, im Deutschen auch ›Strohblumen‹. Blumen mit trockenen Blütenblättern, die lange ihre Form und Farbe behalten, vor allem in der Kranzbinderei verwendet. In Fontanes Werken (z. B. »Effi Briest«) haben diese Blumen symbolische Bedeutung, sie deuten Einsamkeit und Sterben an.

64,16 f. *die Menschen waren damals so wie heut:* Zur Darstellung des ›Jederzeitlichen‹ in der dargestellten Zeitlichkeit im Roman vgl. Müller-Seidel: Theodor Fontane, Soziale Romankunst, S. 260 (auch im Kap. IV).

## Elftes Kapitel

65,20 *Landpartie:* »Das echte Berliner Volksvergnügen waren die Landpartien« (Wilfried Richter, S. 70). Zur Landpartie als Bestandteil des Berliner Unterhaltungsromans sowie der Gesellschaftsromane Fontanes vgl. Peter Demetz, S. 141. Zur Struktur (als Idyll konzipiert und gleichzeitig verhindert) sowie zur strukturellen Bedeutung (als Peripetie des Romans) dieses Ausflugs vgl. Cordula Kahrmann, S. 151–153. Zum Motiv der Landpartie bei den französischen impressionistischen Malern und bei Fontane vgl. Robert Minder: Dichter in der Gesellschaft. Erfahrungen mit deutscher und französischer Literatur, Frankfurt a. M.: Suhrkamp 1967, S. 323.

65,24 f. *Erkner, Kranichberge, Schwilow, Baumgartenbrück:* beliebte Ausflugsziele in der Umgebung Berlins.

65,27 *»Hankels Ablage«:* Anlegestelle und Ausflugsort am Westufer des Zeuthener Sees. In Hankels Ablage, in der Villa Käppel, schrieb Fontane im Mai 1884 acht Kapitel seines Romans (vgl. seinen Brief vom 14. 5. 1884 an seine Frau, im Kap. II). Zur Erklärung des Namens vgl. 74, 25 ff. Die zeitgenössischen Kritiker heben die Echtheit und die Reize der Spreelandschaft in Hankels Ablage immer wieder hervor (vgl. Kap. III,1). Vgl. ferner Conrad Wandrey: »[...] diese Kapitel [11 bis 13] sind vielleicht das Schönste, Reichste und Innerlichste, was Fontane je zu schaffen gelang. [...] Die Menschen verbinden sich der Landschaft in einer so durchgefühlten Einheit, daß man versucht ist zu erklären, hier wäre auf kleinstem Raum und in zwingender Form mehr von märkischem Geist gegeben, wie in den fünf dicken Bänden der ›Wanderungen‹« (»Theodor Fontane«, München: Beck 1919, S. 227). Der Aufsatz von Heinz Gebhardt, »Theodor Fontane und Hankels Ablage« (Heimatkalender für den Kreis Zossen, 1969, S. 98–101), enthält eine Abbildung des Segler-Schlosses in Hankels Ablage. Das Segler-Schloß war ein Neubau, wohl um die 1890er Jahre anstelle der Villa Käppel entstanden.

66,1 *Görlitzer:* Görlitz: Stadt in der Oberlausitz.

66,19 *mutterwindallein:* Trübners Wörterbuch (1943) gibt ›mutterwindallein‹ als nur von Fontane (so auch in »Effi Briest«, Kap. 15; »Frau Jenny Treibel«, Kap. 10) gebrauchtes Synonym für ›mutterseelenallein‹ an. Eine der Herkunftsdeutungen für ›mutterseelenallein‹ ist die Volksetymologie aus frz. moi tout seul (ich ganz allein).

*Hankels Ablage*

66,34 f. *Etablissement:* Vgl. die weitere Erklärung 66,36 bis 67,6. Zu dieser heute so gut wie ausgestorbenen Kategorie von Gaststätten siehe Ruth Westermann: Gastlichkeit und Gaststätten bei Fontane, in: Jahrbuch für brandenburgische Landesgeschichte, Bd. 20 (1969), S. 49 bis 57.

66,36 *Fischerhaus:* Das ehemalige Fischerhaus in Hankels Ablage, das Anfang der 1880er Jahre abbrannte, hat Fontane aus eigener Anschauung gekannt (vgl. Rost, S. 131 f.).

67,4 f. *Renommee:* frz., Ruf, Ansehen.

67,34 *Blick über die Spree:* die sogen. ›Wendische Spree‹, die Dahme.

68,29 *galanter:* höflicher, ritterlicher, rücksichtsvoller. Vgl. Albin Schultz: »›Galant‹ hat [Fontane] mit äußerst feiner Berechnung gesagt; es ist ein Fremdwort, das schon in den unteren Schichten der Großstadtbevölkerung heimisch geworden ist, während es im ›Conversationston‹ der ›Gesellschaft‹ durchaus nicht mehr die ursprüngliche Bedeutung hat. Eine Modifikation in der Bedeutung ist unverkennbar, und man kann sagen, daß es einen philiströs kleinbürgerlichen Beigeschmack bekommen hat, in diesen Volksschichten jedenfalls sehr beliebt ist. Deshalb ist auch der Ausdruck für Lene vollständig verständlich« (S. 96).

69,1 *Segel eingerefft:* Segel reffen: Segel verkürzen, Segelfläche verkleinern.

69,15 *Plaid:* engl., Umhang, Mantel, Reisedecke.

69,24 f. *kalfatert:* kalfatern: die Zwischenräume zwischen den hölzernen Schiffsplanken dichten mit Werg oder Baumwolle, die mit Pech oder Leim getränkt werden.

70,18 *mit Kienäpfeln:* mit Kiefernzapfen.

71,10 *Ehrenpreis:* Gattung der Rachenblütler mit in der Regel blauen, meist kurzröhrigen Blüten, auch Männertreu genannt.

71,13 *Teufelsabbiß:* Kugelskabiose, auf Wiesen und Heiden vorkommende Karde mit violetten Blüten, alte Heil- und Zauberpflanze.

## Zwölftes Kapitel

73,14 *Melissentee:* Melisse, griech./lat., ›Bienenkraut‹, Gattung der Lippenblütler mit Blüten, die nach Zitrone duften, Zitronenkraut.

74,5 *Wendin:* Vgl. Fontanes »Wanderungen durch die Mark Brandenburg«, Hanser-Ausgabe, 2. Abt., Bd. 2 »Havelland«, Kap. »Die Wenden in der Mark«: »[Die Wenden] bildeten den am meisten nach Westen vorgeschobenen Stamm der großen slawischen Völkerfamilie. [... Sie] rückten, etwa um 500, in die halb entvölkerten Lande zwischen Oder und Elbe ein« (S. 14 f.). Vgl. ferner Fontanes Brief an Wilhelm Hertz vom 17. 6. 1866 über »Vor dem Sturm« (Briefe an Wilhelm und Hans Hertz 1859 bis 1898. Hrsg. von Kurt Schreinert und Gerhard Hay. Stuttgart: Klett 1972. S. 130 f.).

74,10 *superbe:* frz., ausgezeichnet.

74,27 f. *Dominium:* lat., Domäne, Staatsgut.

74,28 *dem Alten Fritzen:* Friedrich II., der Große (1712 bis 1786), seit 1740 König von Preußen.

74,29 *Soldatenkönige:* Friedrich Wilhelm I. (1688–1740), Vater Friedrichs II., Gründer des preuß. Heeres.

74,30 *Wusterhausen:* Königs Wusterhausen, urspr. Wendisch Wusterhausen; den neuen Namen verdankt der Ort Friedrich Wilhelm I., der in dem 1717 erbauten Jagdschloß seine Tabakskollegien abhielt.

75,15 *Jagdgrund:* Der Forst Wusterhausen war ein bevorzugtes Jagdgebiet Friedrich Wilhelms I.

75,19 f. *Was tut schließlich der Name?:* Zur Bedeutung der Namengebung als Mittel der Figurendarstellung im Roman vgl. Schmidt-Brümmer.

75,31 *Gespensterschiff:* Vgl. die »Geschichte vom Gespensterschiff« in der Rahmenerzählung »Die Karawane« von Wilhelm Hauff in dessen »Märchenalmanach auf das Jahr 1826«, die dieses romantische Motiv nachdrücklich prägt. Der junge Fontane war Autor einer Ballade »Das Gespensterschiff« nach dem Roman »The Phantom Ship« (1839) von Friedrich Marryat. Von Moritz Graf Strachwitz stammt die Ballade »Das Geisterschiff«, die 1843 unter dem Titel »Seemärchen« im literarischen Verein »Tunnel über der Spree« zum Vortrag kam.

76,6 *Okuli, da kommen sie:* Okuli: lat., dritter Fastensonntag im kath. Kirchenjahr; Spruch aus der Jägersprache, der das erste Auftreten der Schnepfen im Frühjahr bezeichnet.
76,15 *Boccia:* ein aus Italien stammendes Spiel mit schweren Holz- oder Metallkugeln.
76,19 *abschülbert:* Berl. Dial., schülbern: sich häuten, die Haut abstreifen, vgl. 175,6 *schülbrige Haut.*
77,20 *Heidelberger Faß:* Faß im Keller des Heidelberger Schlosses, 1751 gebaut, beinahe 7 m im Durchmesser und über 7 m in der Länge, faßt 221 726 Liter.
78,2 f. *Schwedter Dragoner:* 1. Brandenburgisches Dragoner-Regiment Nr. 2.
78,3 *Fürstenwalder Ulanen:* Ulanen-Regiment Kaiser Alexander II. von Rußland (1. Brandenburgisches) Nr. 3.
78,4 *Potsdamer Husaren:* Leibgarde-Husaren-Regiment.
78,6 *Krakeelen:* Lärmen, Streiten, Zanken. Die Herkunft des um 1600 aufgekommenen Wortes ist nicht sicher geklärt. Vielleicht handelt es sich um ein in der Landsknechtssprache umgestaltetes ital. gargagliata, ›Lärm von vielen Leuten‹ (Der Große Duden, Bd. 7 Herkunftswörterbuch der deutschen Sprache, Mannheim: Bibliographisches Institut 1963, S. 365).
78,8 *Bataillen:* frz., Schlachten, hier: Schlägereien.
79,12 *Auktion:* lat., Versteigerung.
79,29 *»Washington ... Delaware«:* engl., »Washington beim Übergang über den Delaware«, Gemälde des dt.-amerikan. Historienmalers Emanuel Leutze (1816–68) von 1850/51, vgl. Fontanes Aufsatz »Die Londoner Kunstausstellung« (1857): »Aber ist denn kein Leutzescher Washington da, der über den Delaware setzt?« (Erinnerungen, Ausgewählte Schriften und Kritiken, Hanser-Ausgabe, 2. Aufl., Abt. 3, Bd. 3,1: Reiseberichte, hrsg. von Helmuth Nürnberger und Heide Streiter-Buscher, S. 418). Das Bild hält den historischen Augenblick fest, der eine Wende im amerikan. Unabhängigkeitskrieg herbeiführte: Am 25. 12. 1776 überschritten die Truppen der Republik unter der Führung George Washingtons (1732–99), des späteren ersten Präsidenten der USA, den Delaware und besiegten bei Trenton drei in engl. Diensten stehende hessische Regimenter. Das Bild war, ebenso wie das

zweite (79,30) und dritte (80,4 f.), in billigen Lithographien weit verbreitet.

79,30 *»The last ... Trafalgar«:* engl. »Die letzte Stunde bei Trafalgar«, Schlachtgemälde des amerikan.-engl. Historienmalers Benjamin West (1738–1820) von 1811 »The Death of Lord Nelson«. Das Bild zeigt den Tod des engl. Admirals Lord Nelson (1758–1805) in der siegreichen Schlacht vom 21. 10. 1805 gegen die franz.-span. Flotte.

80,1 f. *Rokokotisch:* Rokoko: frz., Stilrichtung im 18. Jh., am Ende des Barock, die durch zierliche, heitere, beschwingte Formen, bes. – daher der Name – Rocaillenornamente (Muschelformen) gekennzeichnet ist.

80,4 f. *»Si jeunesse savait«:* frz., »Wenn die Jugend wüßte«, wahrscheinlich eine Lithographie nach dem frz. Maler Julien Vallou de Villeneuve (1795–1866), abgebildet in Eduard Fuchs, Geschichte der erotischen Kunst, München: Langen [1924], Bd. 2,1, S. 202. Auch ein Sprichwort, das gewöhnlich mit den Worten endet: ›si vieillesse pouvait‹ (wenn die Alten könnten).

80,11 f. *Giebelfenster ... Flügel:* eine der »typischen Fontaneschen Fenstersituationen«, wie sie Diethelm Brüggemann interpretiert (Fontanes Allegorien, in: Neue Rundschau, Jg. 82, 1971, H. 2, S. 290 ff.; H. 3, S. 486 ff.): Die »Fenster- und Balkonsituationen sind Grenzsituationen. [...] Sehnsucht nach der Erfahrung ursprünglicher Natureinheit wird mit dem Öffnen der Fensterflügel assoziiert [...]« (S. 489).

80,22 *das vor ihr ausgebreitete Bild:* Zu Fontanes Landschaftsdarstellung im Roman vgl. Hubert Ohl: »Selbst hier [80,22 ff.], wo die Landschaft zum Spiegel der Seele wird, bleibt ihr Charakter als Bild doch erhalten und gibt sich damit in ihrer zeichenhaften und nicht in erster Linie ›realistisch‹ gemeinten Bedeutung zu erkennen: [...]. Wie hier eine Seele vor dem Bilde ergriffen wird, das die Natur ›stellt‹, so gehört zu allen Landschaften Fontanes der schauende Mensch, in dessen Wahrnehmungen und Empfindungen sich das dargestellte Bild erst vollendet« (»Bild und Wirklichkeit. Studien zur Romankunst Raabes und Fontanes«, Heidelberg: Stiehm 1968, S. 204 f.). Zur erzählerischen (thematischen) Integration dieses ›Bildes‹ vgl. Horst Schmidt-Brümmer: »Das ›Bild‹ der Natur läßt Lene, im Gegensatz zu den fremdsprachig unterschriebenen Bildern [79,29 f.] und der anstößigen Lithographie [80,4 f.], alles Störende und Trennende vergessen, das ihre Beziehung zu Botho in Frage stellt« (S. 68).

### Dreizehntes Kapitel

83,5 *Prahm:* Transportboot mit geringem Tiefgang.
84,16 *Nieder-Löhme:* jetzt Niederlehme.
84,36 *Ah les beaux esprits se rencontrent:* frz., Ah, die schönen Geister treffen sich. Vgl. aber Hans Ester (»›Ah, les beaux esprits se rencontrent‹ – Zur Bedeutung eines Satzes in Fontanes ›Irrungen, Wirrungen‹«, in: Amsterdamer Beiträge zur neueren Germanistik, Bd. 4, 1975, S. 183–188), der an Hand einer Stelle aus einem Brief Voltaires den Satz so übersetzt: »Man ist auf den gleichen Gedanken gekommen.« Vgl. George W. Fields Kommentar: »Wits think alike (parody of the proverb ›Les grands esprits se rencontrent‹: Great minds think alike)« (Fontane: Irrungen, Wirrungen. London/Melbourne/Toronto: Macmillan 1967. S. 190).
85,5 f. *Isabeau ... Johanna ... Margot:* Gestalten aus Schillers romantischer Tragödie »Die Jungfrau von Orleans« (1801). Königin Isabeau: die Mutter Karls VII.; Fräulein Margot: die Schwester der Johanna. Vgl. zu den »Ulkereien mit den Namensgebungen« auch Fontanes Brief an Theodor Wolff vom 28. 4. 1890 (Kap. II).
85,7 *Parole:* frz., Erkennungswort, Losung; hier: Sprache.
85,10 *Agnes Sorel:* die Geliebte Karls VII.
85,13 *Töchter Thibaut d'Arcs:* Johanna und Margot.
85,18 f. *eine Störung ... geplante:* Vgl. hierzu Otto Pniowers Rezension (Kap. III,1).
85,30 *wohlarrondierte:* frz., wohlgerundet, rundlich.
86,4 f. *proponiere:* frz., vorschlagen.
86,10 *Pätscheln:* Rudern, lautmalerisch nach dem Ruderschlag ins Wasser.
86,11 *Ykleis:* Ukelei (aus dem Poln.), karpfenartiger Weißfisch.
86,16 *Dezidiertheit:* lat., Entschiedenheit.
86,27 *Jeu:* frz., Spiel. Isabeaus Definition einer Landpartie

steht in ironischem Kontrast zur Landpartie Lenes und Bothos in Hankels Ablage (65,20).

86,34 *Reunion:* frz., Wiedervereinigung, Treffen.

86,35 f. *Ja, Königin ... schön:* leicht abgewandeltes Zitat aus Schillers »Don Carlos« (IV,21).

87,17 *Kortege:* frz., Gefolge.

87,37 *Köllnischen Fischmarkt:* Cölln: Ort gegenüber von Alt-Berlin an der Spree.

88,22 *Moët oder Mumm:* frz. Sektmarken.

88,23 f. *Apropos:* frz., übrigens, was ich noch sagen (fragen) wollte.

88,32 *Waldlisière:* frz., Waldrand, -grenze.

89,11 *raffinierter:* frz., verfeinerter.

89,27 f. *Kreuzer ... Marmohr:* Das Mittel falscher Sprechweise und Betonung setzt Fontane häufig zur Charakterdarstellung ein.

90,1 f. *partout:* frz., durchaus, unbedingt.

90,2 f. *den in der Oranienstraße:* In der Oranienstraße (Berlin) befand sich der Friedhof des Jakobs-Hospitals.

90,34 f. *Mann ... der Beste:* Vgl. 42,26 f. Anklang an Pastor Lorenzens Predigt über Dubslav von Stechlin: »Er war das Beste, was wir sein können, ein Mann und ein Kind« (Der Stechlin, 43. Kap.).

90,37 *frug:* historisch gesehen die richtige starke Form des Präteritums von ›fragen‹, wurde im 19. Jh. durch Formenzwang schwach gebeugt.

91,18 *Dest'lation:* Destillation, lat., hier: Branntweinausschank, Schnapsschenke.

91,19 *Wittmann:* Witwer.

91,25–28 *Jott, Kind ... Kladderadatsch:* Vgl. Ester: »Durch ihre vergleichbare Reaktion auf Lenes Liebesbeziehung erinnert die ›Königin‹ sehr stark an Frau Dörr« (»Ah, les beaux esprits ...«, S. 187). Nach Mittenzwei (S. 103) erweist sich die »Königin« sprachlich als »Doppelgängerin« der Gärtnersfrau. Vgl. Frau Dörrs Aussagen in Kap. 1 und 3. Beide Frauen zeichnen sich durch *Abrundung* und *Sprechfähigkeit* aus (85,31).

91,28 *Kladderadatsch:* Geklirr, fig., Krach, Skandal. Titel einer polit.-satir. Zeitschrift (Berlin), gegr. 1848.

92,2 *dumm ... kein Wort:* Vgl. Mittenzwei: »Ihre [Lenes] Beredsamkeit des Herzens, [...] ihre ›wahre Sprachliebe‹ ist zuzeiten ›nicht möglich ohne Sprachverleugnung‹ [Hofmannsthal]« (S. 103).

92,30 *So gingen die Gespräche:* Zu Fontanes Technik der »Auffächerung der Gespräche« vgl. Demetz, S. 143–145.

93,17 f. *Zitronenvögel:* Zitronenfalter (Schmetterling).

## Vierzehntes Kapitel

94,10 *Droschke:* Vgl. Wilfried Richter: »Das Netz der Pferdebahnen war noch nicht sehr ausgedehnt, die Stadtbahn wurde nicht viel benutzt, so daß die Droschken das wichtigste und zugleich vornehmste Beförderungsmittel waren« (S. 59). Vgl. 148,26 ff.

95,25 *Meerschaum:* eine aus weichem Mineral geschnittene Pfeife.

96,2 f. *Die Türken sind die klügsten Leute:* Anspielung auf die Schicksalsgläubigkeit (Kismet) des Islam. Vgl. 105,31. Zum ironischen Ton dieses Satzes vgl. Mittenzwei, S. 108, 110 (auch im Kap. III,3).

96,20 *Arnswalde:* Kreisstadt im damaligen Regierungsbezirk Frankfurt an der Oder.

97,7 *Gentilezza:* ital., Großmut, feiner Anstand.

97,9 f. *Sparsamkeits- ... Ängstlichkeitsprovinz:* Vgl. Fontanes Aufsatz »Die Märker und die Berliner und wie sich das Berlinertum entwickelte«, Deutsches Wochenblatt (Berlin), Jg. 2, Nr. 47 (November 1889), in dem er den Ordnungssinn und die Sparsamkeit, aber auch die enge, provinzielle Haltung der Märker hervorhebt.

97,27 *perhorreszierst:* lat., verabscheust.

98,10 f. *nach Art der Sibyllinischen Bücher:* Nach der röm. Sage bot die Sibylle von Cumae dem König Tarquinius Priscus neun Bücher mit Orakelsprüchen zum Kauf an. Als dieser den Preis zu hoch fand, verbrannte sie drei und verdoppelte den Preis. Als der König wiederum ablehnte, verbrannte sie weitere drei Bücher und erhöhte den Preis wiederum auf das Doppelte – und der König kaufte.

99,19 *Croupier:* frz., Gehilfe des Spielbankhalters.

99,20 *Troupier:* frz., Berufssoldat.

99,22 *Tochter des Regiments:* Anspielung auf die Komische Oper »La Fille du Régiment« (1840) von Gaetano Donizetti (1797–1848), deren Heldin (Marie) als Findelkind bei einem Regiment großgeworden, sich in der adligen Welt ihrer Mutter nicht einleben kann.

99,26–103,8 *Endlich aber ... seine Tür führte:* Joachim Biener bezeichnet diesen Abschnitt des 14. Kapitels, d. h. das Selbstgespräch Bothos, in dem er sich entschließt, Käthe zu heiraten (denn »Ordnung ist Ehe«, 102,32 f.), als »den Knotenpunkt«, als »die Peripetie des Romans« (Zum Menschenbild und zur Inhalt-Form-Beziehung in Theodor Fontanes Roman ›Irrungen, Wirrungen‹, in: Wissenschaftliche Studien des Pädagogischen Instituts Leipzig, 1970, S. 56–58). Der Ausritt oder Spaziergang ist in anderen Romanen Fontanes von ähnlicher struktureller Bedeutung, vgl. z. B. Schach in »Schach von Wuthenow«, Kap. 13 und 14, oder Innstetten in »Effi Briest«, Kap. 27.

99,31 f. *Moabiter Brücke:* Spreebrücke nördl. des Englischen Gartens (Teil des Tiergartens).

99,33 *Fenn:* Moorland.

*Jungfernheide:* damals noch Truppenübungsplatz der Berliner Garnison, zwischen Tegeler See und Moabit.

101,2 *Donquichotterien:* idealistisch verstiegene, weltunkundige Narreteien nach dem Vorbild des Romans »Der sinnreiche Junker Don Quijote von der Mancha« von Cervantes (1547–1616).

101,11 *Tournüre:* frz., gewandte Haltung.

*Savoir-faire:* frz., Geschicklichkeit in Geschäften.

101,11 f. *mir alles ... Wörter:* Vgl. Schultz: »Der Widerwille gegen alles ›Geschraubte und Zurechtgemachte‹ [...] bewahrt [Botho] auch in seinen Gesprächen vor zugespitzten Redensarten, geistreichen Pointen und einer auffallenden Bevorzugung der Fremdwörter oder fremdsprachlicher Zitate. Soweit sich diese finden, dienen sie [...] zur Beleuchtung seiner Bildungsstufe und seiner Lebenssphäre« (S. 91). Vgl. aber auch die Anm. zu 25,34 und 26,5.

101,21 *Ludwig v. Hinckeldey:* 1805–56, seit November 1848 Polizeipräsident von Berlin; als eifriger Verfechter der Polizeiordnung der äußersten Rechten mißliebig. Hinckeldey ließ u. a. mehrfach die »Kreuzzeitung« (vgl. die Anm. zu 43,34) beschlagnahmen und wurde, als er einen adligen Spielklub in Berlin ausheben ließ, von einem Klubmitglied, Hans von Rochow, zum Duell gefordert und am 10. 3. 1856 in der Jungfernheide erschossen. Rochow wurde vom König begnadigt.

102,1 *Nörner:* Die Quelle für die angebliche Äußerung Hinckeldeys war bisher nicht zu ermitteln. Nörner war Staatsanwalt (oder Oberstaatsanwalt), der auf Befehl des Königs in dem Streit zwischen Hinckeldey und Rochow vermitteln sollte.

102,3 *Standesmarotte:* Marotte: frz., Schrulle, wunderliche Neigung.

102,8 f. *daß das Herkommen unser Tun bestimmt:* Vgl. 167,14 ff. sowie Fontanes Brief an Friedrich Stephany vom 16. 7. 1887 (Kap. II).

102,13 *ein großes Etablissement:* Borsigs Maschinenbau-Anstalt in Moabit an der Spree. Zu August Borsig (1829–78) vgl. Herbert Roch: Fontane, Berlin und das 19. Jahrhundert, Berlin: Weiß 1962, S. 260–274 (»Bismarck, Borsig, Bebel« als Repräsentanten des Zeitalters). Nach Demetz (S. 150 f.) ist der Spazierritt Bothos am Etablissement vorbei ein »Kunstgriff« Fontanes, der darauf zielt, ein gesellschaftlich problematisches Phänomen wie die proletarische Arbeitswelt als Genrebild (rustikales Idyll) unschädlich zu machen. Daß dieses Bild eigtl. aus der Perspektive Bothos zu verstehen ist, erklärt Kahrmann, S. 159 f. (s. auch Kap. III,3).

102,26–29 *Wenn unsre ... Ordnung haben:* Vgl. die Anm. zu 97,9 f.

102,32 f. *Ordnung ist Ehe:* Siehe die Rezensionen von Schlenther, Brahm und Harden (Kap. III,1).

103,6 *Zelten:* In den Zelten: Vergnügungszentrum im Tiergarten.

103,7 f. *Wrangel-Brunnen:* auf dem Kemperplatz, am südl. Ende der Siegesallee; 1902 ersetzt durch den Rolandbrunnen. Friedrich Heinrich Ernst Graf von Wrangel (1784–1877), 1848/49 Militärgouverneur von Berlin und Generalfeldmarschall von der Mark Brandenburg, noch im Krieg gegen Dänemark (1864).

## Fünfzehntes Kapitel

104,32–34 *Ich bin nicht ... tanzte:* Nach Jürgen Jahn (Aufbau-Ausgabe, V/570) handelt es sich hier um Fouqués

*Das Borsig-Werk in Moabit (Stich von A. Eltzner)*

Märchen »Undine« (1814). Vgl. aber Kahrmann: »Das ist schon deswegen unwahrscheinlich, weil Undine am Schluß nicht in den Brunnen stürzt, sondern ihm entsteigt« (S. 205, Anm. 83). Der Vergleich erinnert Kahrmann an Hebbels Tragödie »Maria Magdalena« (1844), und Lenes voller Name (nicht erst am Romanschluß, wie Kahrmann meint, sondern 108,14) weise dies als bewußte Anspielung aus (S. 162).

105,19 *Erinnerung ist viel, ist alles:* Lene und Botho werden durch Tradition und Konvention getrennt, bleiben aber durch Erinnerung (an Liebe und Glück) weiterhin verbunden; dieses Band, diese Gebundenheit wird im Roman leitmotivisch behandelt, vgl. die Anm. zu 46,11 f. Vgl. auch die Anm. zu 170,21.

## Sechzehntes Kapitel

108,14 *Dependenzien:* frz., Nebengebäude.

109,7 *Esprit:* frz., Geist, geistvolle Witzigkeit.

109,21 *Kuppel der Frauenkirche:* Die Frauenkirche auf dem Neumarkt in Dresden wurde 1945 zerstört.

109,27 f. *Holbeinscher Madonna:* »Madonna des Bürgermeisters Meyer« von Hans Holbein dem Jüngeren (1497 bis 1543) im Dresdner Zwinger (vgl. die Anm. zu 24,27 f.).

109,32 f. *die Konditorei . . . Scheffelgassen-Ecke:* Konditorei Kreuzkamm.

110,8 *›Monsieur Herkules‹:* vielgespielte Posse von Georg Belly (1836–75).

*Knaak:* Wilhelm Knaak (1829–94), beliebter Wiener Komiker, als Artist Cäsar in »Monsieur Herkules« bes. erfolgreich; der Name ist noch in Thomas Manns »Tonio Kröger« (1903) lebendig (Ballettmeister Knaak).

110,10 *So was Komisches:* griech., Belustigendes, Lächerlichkeit Erregendes. Diese Phrase wird zu einem Leitmotiv für Käthe. Vgl. die Anm. zu 25,34; ferner 127,13 f.

110,13–15 *Bacchus . . . Vischer:* Beide Arbeiten gehören zu den kunsthandwerklichen Merkwürdigkeiten im Grünen Gewölbe (vgl. die Anm. zu 24,27 f.). Peter Vischer d. Ä. (um 1460 bis 1529), Nürnberger Bildhauer und Erzgießer.

110,31 *Kötzschenbroda:* damals Landgemeinde an der Elbe in der Lößnitz, jetzt Ortsteil von Radebeul.

111,1 *Landgrafenstraße:* im Tiergartenviertel, zwischen Lützowufer und Kurfürstenstraße, eine Wohnstraße des Adels.

111,17 *ein Schindelturm:* das Holztürmchen des Dörrschen »Schlosses« (vgl. 3,13).

111,29 *en famille:* frz., im Familienkreis.

112,5 *Goldstein:* für die maßgebliche Rolle, die jüdische Fabrikanten und Kaufleute in der Berliner Textilindustrie spielten, typischer Name, den damals mehrere Firmen trugen.

112,6 f. *Waldeckschen Prinzessin:* eine Tochter des Fürsten von Waldeck-Pyrmont, ein kleines Fürstentum, das aus finanziellen Gründen seine Unabhängigkeit aufgeben und sich an Preußen anschließen mußte.

112,9 *Alten Jakobstraße:* Dort, Nr. 171, hatte Fontane vom 1. 10. 1862 bis 30. 9. 1863 gewohnt.

112,22 *Potsdamer Straße:* Dort wohnte Fontane vom 3. 10. 1872 bis zu seinem Tod.

113,13 *Trottoir:* frz., Bürgersteig.

113,18 f. *Stearinlichten:* Kerzen aus Stearin, griech., ›stehendes Fett, Talg‹.

113,19 *Mixed-Pickles-Flaschen:* Mixed Pickles: engl., in Essig eingemachtes Mischgemüse.

114,5 *Kanal ... Querstraße:* Landwehrkanal; Dörnbergstr.

114,12 f. *halbwachsenes:* halberwachsenes.

114,13 *Grabscheit:* Dial., Spaten, Schaufel.

114,29 *Kajütenschornsteinen:* Kajüte: norddt., Wohnraum an Bord.

114,33 *die große Schleuse:* die Charlottenburger Schleuse, vor dem Eintritt des Landwehrkanals in die Spree. Lene ist also zu weit gelaufen.

115,15 *Goldlack:* Gheiranthus cheiri, in Südeuropa heimische Kreuzblütler mit wohlriechenden, hellgelben bis dunkelbraunen Blüten.

115,15 f. *Jelängerjelieber:* Geißblatt, Geißblattgewächse, mehrere Kletterpflanzen.

115,36 *heiße Stürze:* Kochtopfdeckel, der erwärmt und eingewickelt wie eine Wärmflasche verwendet wurde; ebenso gebrauchte man Ziegelsteine.

116,3 *Altration:* Alteration: Aufregung.

116,7 *Rollo:* frz. (rouleau), Rollvorhang.

116,7 f. *Kampfer:* aromatische Verbindung aus dem Holz des südostasiat. Kampferbaumes, Heilmittel.
116,8 *Hoffmannstropfen:* Anregungsmittel bei Schwächezuständen, aus Alkohol und Äther, nach dem Arzt Friedrich Hoffmann (1660–1742) benannt.
116,10 *'ne Natur:* hier: Körperbeschaffenheit.

## Siebzehntes Kapitel

116,20 f. *unserem Bekannten- und Freundeskreise:* Vgl. Fontanes Besprechung (Fassung aus dem Nachlaß) von Paul Lindaus Berliner Roman »Der Zug nach dem Westen« (1886): »Aufgabe des modernen Romans scheint mir die zu sein, ein Leben, eine Gesellschaft, einen Kreis von Menschen zu schildern, der ein unverzerrtes Widerspiel des Lebens ist, das wir führen« (Hanser-Ausgabe, 3. Abt., Bd. 1, S. 568). Vgl. ferner die Rezension von Otto Brahm (Kap. III,1).
116,31 f. *Der Sinn ... aufgegangen:* Zum »Motiv der Kinderlosigkeit Käthes« (s. 18. Kap.) vgl. Gerhard Friedrich: »Diese Kinderlosigkeit ist nicht als ein medizinisches Phänomen zu betrachten, vielmehr soll sie hinweisen auf die Sterilität der Lebensverhältnisse des Adels überhaupt« (Die Frage nach dem Glück in Fontanes ›Irrungen, Wirrungen‹, in: Der Deutschunterricht, Jg. 11, 1959, H. 4, S. 82). Vgl. aber auch Fields Kommentar: »But the question of childlessness is really left unanswered by Fontane. Apart from Käthe's remark that Botho's brother can provide the necessary heir [117,2 ff.], there are hints that Botho and Käthe may yet produce a family« (S. xxxvi).
117,35 *Graf Alten:* Karl Graf von Alten (1833–1901) war Kommandeur der 1. Garde-Kavalleriebrigade.
118,1 f. *Pfarr- und Stolgebühren:* Gebühren für bestimmte kirchliche Handlungen wie z. B. das Spenden des Tauftestaments, die Trauung usw. In der evangel. Kirche als Abgabe seit 1892 aufgehoben, seither beschränkt auf freiwillige Spenden.
119,7 *da kann es tausend und drei geben:* Anspielung auf das ›Mille e tre‹ der Leporello-Arie in Mozarts »Don Giovanni« (1787).

*Spittelmarkt (Album von Berlin, 1906)*

119,28 *geweimert:* weimern: Berliner Dial., wimmern, leise klagen, jammern. Vgl. 134,22.
120,24 *da helfen ihm keine Sperenzchen:* Redensart im Sinne von: da hilft kein Sperren und Sträuben. Eigtl. ›Sperenzien‹ (falsche Hoffnungen).
120,33 *zum Kattol'sch-Werden:* soviel wie: zum Verrücktwerden (zum Verzweifeln); Redensart, wie sie bes. für die Zeit der konfessionellen Gegensätze typisch war.
121,5 *Luisenufer:* westl. Ufer des 1926 zugeschütteten Luisenstädtischen Kanals, einer Verbindung zwischen Landwehrkanal und Spree (heute Segitz- bzw. Legiendamm).
121,21 *Michaelskirche:* auf dem Michaelskirchplatz am Engel-Becken, kath. Kirche, ein Kuppelbau in ital. Formen.
121,30 *Reißen:* rheumatische Schmerzen.
122,3 *Mesalliancen:* frz., Mißheiraten, unebenbürtige Verbindungen. Vgl. Ernst Kohn-Bramstedt: Marriage and Misalliance in Thackeray and Fontane, in: German Life & Letters, Bd. 3 (1939) S. 285–297; ferner Carin Liesenhoff: Fontane und das literarische Leben seiner Zeit. Eine literatursoziologische Studie, Bonn: Bouvier 1976, S. 68 f. (s. auch die Einleitung zum Kap. III,1).
123,26 *Tod und Leben:* Kartenspiel, vgl. »Allerlei Glück«: »Was machen wir? Spielen wir Karten. ›Mariage oder so etwas?‹ ›Oder so etwas‹, sagte sie. ›Das ist sehr gut. Ja, so etwas; das alte Grund- und Urspiel. (Tod und Leben).‹« (Hanser-Ausgabe V,673).
*Dambrett:* Damebrett: Spielbrett für das Damespiel.
123,27 *eine Patience legen:* Patience: frz., Geduld, hier: Kartengeduldspiel.
123,29 *Konventikler:* Angehöriger einer religiösen Sekte.
123,29 f. *Mennoniten:* protestant. Sekte, benannt nach ihrem Gründer Menno Simons (1496–1561); vgl. »Quitt«, Kap. 17.
123,30 *Irvingianer:* nach ihrem Gründer, dem schott. Erweckungsprediger Edward Irving (1792–1834) benannte Sekte. Irving verkündete das bevorstehende Weltende mit der Wiederkehr Christi und betete mit seinen Anhängern ekstatisch um die Ausgießung des Heiligen Geistes.
124,2 *er steht noch nich drin:* im Adreßbuch.
124,27 f. *die so viele Frauen haben:* Verwechslung der Mennoniten mit den Mormonen, einer amerikan. Sekte

(1830 von Joseph Smith begr.), bei der die Vielehe erlaubt war.

125,7 *Metier:* frz., Beruf.

125,8 f. *Fabrik hier in der Köpnicker Straße:* Die Köpenicker Straße verläuft parallel zur Spree nördl. der Michaelkirche; in ihrer Umgebung lagen damals kleinere Fabriken und Handwerksbetriebe.

125,13 *reputierlicher:* frz., ehrenwerter, von gutem Ruf.

125,20 *Kuhlwein:* Vgl. 134,13–15; ferner die Rezension in der »Gegenwart« (Kap. III,1). Die Ranglisten der preuß. Armee verzeichnen mehrere Offiziere dieses Namens, die teils bürgerlicher Herkunft, teils geadelt waren.

Achtzehntes Kapitel

126,4–6 *Schlangenbader ... Schwalbach:* Schlangenbad und Schwalbach, bekannte Heilbäder für Frauenkrankheiten im Taunus. Vgl. Fontanes Brief an Emil Schiff vom 15. 2. 1888 (Kap. II).

126,9 *Viper an der Brust:* Anspielung auf Kleopatra, die sich durch Schlangenbiß tötete.

126,16 *shopping:* engl., Einkaufen, Bummeln.

126,35 *cercle intime:* frz., vertrauter Freundeskreis.

127,3 *Mars-la-Tour:* Kriegsschauplatz im Dt.-Frz. Krieg. Am 16. 8. 1870 schnitten die dt. Truppen bei Mars-la-Tour und Vionville der auf Sedan zurückgehenden frz. Armee den Rückzug ab. Dabei fielen auf beiden Seiten je 16 000 Mann. An den Kämpfen bei Mars-la-Tour hatte die preuß. Kavallerie entscheidenden Anteil.

127,3 f. *»Halberstädter«:* Vgl. die Anm. zu 43,11 f.

127,25 f. *ein Buch über künstliche Fischzucht:* wohl Anspielung auf Friedrich Felix von Behr-Schmoldow (1821 bis 1892), den »Fischbär«, einen eifrigen Förderer der Fischzucht, vgl. Fontanes Brief an Georg Friedlaender vom 1. 10. 1886 (Briefe an Friedlaender, S. 56 und Anm.).

128,5 *Berneuchen:* Stadt im Kreis Landsberg in der Neumark.

128,6–15 *Borne ... Grävenitz ... Rohr:* adlige Familien.

128,18 *Felix Bachmann:* gemeint ist wohl der seinerzeit berühmte Tenorbariton Edward Bachmann (1831–80).

128,21 *Winterfeld:* bes. durch den General unter Friedrich

dem Großen, Hans Karl von Winterfeldt (1707–57), bekannte Adelsfamilie.

129,10 f. *für Industrielle ... Passion gehabt:* Vgl. Fontanes Brief an seine Tochter vom 18. 4. 1884 (im April und Mai 1884 arbeitete Fontane an »Irrungen, Wirrungen«): »Wirklicher Reichtum imponirt mir oder erfreut mich wenigstens, seine Erscheinungsformen sind mir im hohen Maße sympathisch und ich lebe gern inmitten von Menschen die 5000 Grubenarbeiter beschäftigen, Fabrikstädte gründen und Expeditionen aussenden zur Colonisirung von Mittel-Afrika. Große Schiffsrheder die Flotten bemannen, Tunnel- und Kanalbauer die Welttheile verbinden, Zeitungsfürsten und Eisenbahnkönige sind meiner Huldigungen sicher, ich will nichts von ihnen, aber sie schaffen und wirken zu sehn, thut mir wohl, alles Große hat von Jugend auf einen Zauber für mich gehabt, ich unterwerfe mich neidlos« (Briefe [Propyläen] II,62 f.).

129,20 f. *Frankfurter oder Mainzer Kavaliere:* 1. Hessisches (blaues) Husaren-Regiment Nr. 13, in Frankfurt a. M. und in Mainz stationiert.

129,26 *Garde-Dragoner verdoppelt:* Beide Regimenter Gardedragoner garnisonierten in Berlin, die Leibgardehusaren in Potsdam (*drüben*, 129,29).

129,31 *genieren:* frz., beunruhigen, ärgern.
*Schraubereien:* Neckereien.

130,1 *Oger:* menschenfressender Riese im frz. Märchen.

130,3 *Schwerenkavallerie-Ehre:* in Bothos Ehre als Kürassier. Die schwere Kavallerie (Kürassiere, Gardereiter, Karabiniers), die sich nach Pferdeart und Größe von der leichten unterschied, stand in der preuß. Armee in höherem Ansehen als die leichte (Husaren, Chevaulegers) und mittlere Kavallerie (Ulanen, Dragoner, Jäger zu Pferde).

130,5 *um seines Harnisch willen in Harnisch gerät:* Harnisch: Rüstung, Schutzbekleidung. In Harnisch geraten: fig., wütend, zornig werden.

130,21 *Tort:* frz., Unrecht, Schaden, Kränkung.

131,10 *Rembrandthut:* breitkrempiger, damals modischer Hut, in Anlehnung an das Vorbild des Malers Rembrandt.

131,17 *desertiert:* frz., Fahnenflucht begeht.

131,21 *Lützowplatzbrücke:* die heutige Herkulesbrücke.

*Lützowplatz (Album von Berlin, 1906)*

132,9 *She is rather a little silly:* engl., Sie ist eigentlich ein bißchen albern.

## Neunzehntes Kapitel

133,36 *Ich glaube ... Erziehen:* Vgl. 159,7 f. Ähnlich wiederholt bei Fontane, vgl. z. B. seinen Brief vom 9. 8. 1895 an seine Tochter: »Ich bin fast zu dem Satze gediehn: ›Bildung ist ein Weltunglück.‹ Der Mensch muß klug sein, aber nicht gebildet« (Briefe [Propyläen] II,238). Fontanes Abneigung gilt vor allem dem Examenswissen, sie umschließt aber auch eine Skepsis gegenüber Charakterbildung durch Erziehung, vgl. seinen Brief vom 27. 8. 1882 an seine Frau: »Am allerwenigsten muß man an den Charakteren herumbasteln wollen; es führt zu gar nichts« (Briefe [Propyläen] I,185). Zu Fontanes Kritik des Bildungshochmuts der Wilhelminischen Zeit vgl. Müller-Seidel: Theodor Fontane. Soziale Romankunst, S. 299.

135,6 f. *das Porstsche:* wahrscheinlich das in vielen Auflagen herausgegebene Gesangbuch (1708) von Johann Porst (1688–1728); vgl. aber Fields Kommentar: »the hymnbook edited by pastor Christoph Porst, ›Geistliche Seelenmusik‹, 1703« (S. 208).

135,34 *Plumpe:* ostmitteldt., Pumpe.

136,6 f. *Fingerhut:* Digitalis-Extrakt, Herzbelebungsmittel.

136,33 *Jakobikirchhof:* in Rixdorf, dem späteren Neukölln.

136,34 *Rollkrug:* beliebte Ausflugsgaststätte östl. der Hasenheide-Chaussee und der auf Rixdorf zulaufenden Berliner Straße.

137,1 *Kamisol:* kurze Jacke.

## Zwanzigstes Kapitel

138,12 f. *Bankierfrau, Madame Salinger:* Obwohl nur eine Hintergrundfigur, ist sie von kompositioneller Bedeutung, denn sie verkörpert den Aufstieg der (in diesem Falle jüdischen) Finanz- und Kapitalwelt in die gesellschaftliche Sphäre des Adels.

138,15 f. *Joa, schaun's ... g'heirat't:* Vgl. 168,20 ff. Zum Gebrauch des Wiener Dialekts vgl. Fontanes Brief an Emil Schiff vom 15. 2. 1888 (Kap. II).

138,29 f. *Fünfunddreißiger:* das Brandenburgische Füsilier- (= Infanterie-)Regiment Nr. 35.

138,37 *Pistazien:* Fruchtkerne des Pistazienbaumes, deren mandelartig schmeckende Samen zum Würzen bestimmter Wurstsorten, aber auch zur Verfeinerung einiger Backwaren verwendet werden.

139,6 *Goltz:* weitverzweigte Adelsfamilie.

139,13 *erst unter unserer Herrschaft:* Das Königreich Hannover war erst 1866 an Preußen gelangt.

139,17 *aus welfischem Antagonismus:* Die Anhänger des zugunsten Preußens zum Thronverzicht gezwungenen welfischen Königshauses von Hannover verharrten in Opposition. Vgl. 174,32.

139,23 *bei Scanzoni:* Professor Friedrich Wilhelm Scanzoni von Lichtenfels (1821–91), Gynäkologe in Prag, 1850–88 in Würzburg.

139,26 *comme il faut:* frz., wie es sich gehört. Vgl. 173,36.

139,27 *Reisenecessaire:* frz., Tasche für notwendige Dinge auf Reisen.

139,34 *Kommandantur:* Sitz des Stadtkommandanten, militärische Behörde der Stadt.

140,3 *Oppenheims:* Kölner Bankiersfamilie.
*Equipage:* frz., herrschaftliche Kutsche.

140,9 *Drops:* engl., Fruchtbonbon.

142,3 f. *ein Herr ... ein Mann:* Es ist schwierig, den Besucher gesellschaftlich einzuordnen.

142,8 *Gideon:* männl. Vorname hebräischen Ursprungs, nach der Bibel war Gideon ein Feldherr aus Manasse, der die Midianiter besiegte.

142,18 *Vatermörder:* hoher, steifer Halskragen.

142,20 *chevaleresken:* frz., ritterlichen, weltmännischen, vornehmen.

143,6 *Strohwitwertage:* Strohwitwer: umgspr., scherzh., Ehemann, dessen Frau verreist ist.

143,17 f. *Legitimation:* lat., Berechtigung.

144,6 *Treptower Liebesinsel:* an der Ostseite der Stralauer Halbinsel.

146,16–147,13 *in einem immer predigerhafter ... Ehrlichkeit:* Vgl. Franz Mehrings Kritik (Kap. III,1). Mehring übersieht die karikaturistischen Züge dieser Figur (Gideon Franke) sowie den ironischen Unterton der Rede.

146,18–23 *das sechste ... falsch Zeugnis redet:* Vgl. 2. Mose 20. Das 6. Gebot: Du sollst nicht ehebrechen; 7. Du sollst nicht stehlen; 8. Du sollst nicht falsch Zeugnis reden wider deinen Nächsten.

146,30 f. *Proppertät ... Honnettität ... Reellität:* frz., Sauberkeit, Anständigkeit, Ehrlichkeit. Inhaltlich zieht sich Frankes Urteil durch den ganzen Roman, vgl. 6,18–20; 100,25; 117,26 f. Alle diese Urteile bestehen aus drei- oder mehrgliedrigen Häufungen, vgl. dazu Marianne Zerner.

147,5 *Heilswege ... Glückswege:* Vgl. Fontanes Brief an Gustav Karpeles vom 3. 4. 1879 über seinen geplanten, aber Fragment gebliebenen Zeitroman »Allerlei Glück«: »[...] Tendenz: es führen viele Wege nach Rom; oder noch bestimmter: es gibt v i e l e r l e i G l ü c k« (Hanser-Ausgabe, V,1010 f.). Daß diese Einsicht Frankes an sein Amerikaerlebnis gebunden ist, zeigt Manfred Keune: Das Amerikabild in Theodor Fontanes Romanwerk, in: Amsterdamer Beiträge zur neueren Germanistik, Bd. 2 (1973) S. 9. Über Fontanes »realistische Situationsethik« siehe Richard Brinkmann: Theodor Fontane. Über die Verbindlichkeit des Unverbindlichen, München: Piper 1967, S. 94.

## Einundzwanzigstes Kapitel

148,35 *Von-der-Heydt-Brücke:* die heutige Bendlerbrücke.

150,2 f. *Kirchhofsgegend ... Pionierstraße:* Im Berliner Südosten lagen die Friedhöfe vieler Pfarrgemeinden.

150,7 *Sie sind wohl ein Schlesier?:* Vgl. Wilfried Richter: »Die Kutscher stammen meist vom Lande, besonders aus Mecklenburg oder aus Schlesien« (S. 59).

150,25–27 *vom Kreuzberg ... voller Musik:* Vgl. Fontanes Brief an Emil Schiff vom 15. 2. 1888 (Kap. II).

150,29 *Belle-Alliance-Brücke:* heute Mehringbrücke.

151,6 *etwas ridikül Parzenhaftes:* etwas lächerlich Parzenhaftes. Anspielung auf die dritte der griech. Schicksalsgöttinnen, Atropos, die Unabwendbare, die den Lebensfaden abschneidet.

152,2–153,7 *groteske Szenerie ... Bonbonwalzer:* Vgl. hierzu Hans-Heinrich Reuter: »Bothos einsame Wagenfahrt zum Neuen Jakobikirchhof mit den grellen Impressionen des Vergnügungsparkes bleibt der deutschen Literatur als erster gelungener Versuch einer epischen Nutzung der Kontraste der modernen Großstadt. Der Modernität des Stoffes entspricht die Modernität der Erzählweise. Raffiniert macht sie die Möglichkeiten raschen Wechsels disparatester äußerer Eindrücke auf dem Wege über die Optik des Helden der Vergegenwärtigung innerer Vorgänge dienstbar« (Bd. 1, S. 495).

152,30–32 *Wilhelm Tell:* In dem sagenhaften Tell-Stoff, den Schiller in seinem Schauspiel mit dem geschichtlichen Schweizer Freiheitskampf verknüpft, wird Tell gezwungen, einen Apfel vom Haupt seines Sohnes zu schießen.

152,35 *Hasenheide:* gehörte zum Tempelhofer Feld und diente als Schießplatz der Berliner Garnison.

153,2 *Blondin:* eigtl. Jean François Gravelet (1824–97), Seiltänzer, der in allen größeren Städten Europas auftrat und zwischen 1855 und 1860 den Niagara (Grenzfluß zwischen USA und Kanada) wiederholt überschritt.
*Trikot:* frz., Turnerkleidung.

153,26 f. *Zippel:* Das Berliner Adreßbuch von 1884 verzeichnet »Max Zippel, Handelsm., Rixdorf, Hermannstraße 14«. Zur Hermannstraße vgl. 153,12 f.

154,11 f. *der alte ... Jakobikirchhof:* Vgl. Fontanes Brief an Emil Schiff vom 15. 2. 1888 (Kap. II).

154,14 *Mietskasernen:* umgspr., abschätzig: bes. großes Mietshaus mit vielen Mietern. Vgl. Werner Hegemann: Das steinerne Berlin. Geschichte der größten Mietskasernenstadt der Welt, (1930), gekürzter Nachdruck Berlin / Frankfurt a. M. / Wien: Ullstein 1967.

154,21 *Es war dasselbe Lied:* Vgl. die Anm. zu 59,7.

## Zweiundzwanzigstes Kapitel

155,17 *'ne kleine Leiche:* ein kleines Leichenbegängnis.

155,20 *Justement:* frz., genau.

155,20 f. *unser alter Supperndent:* Vgl. die Anm. zu 5,35.

155,29 *Geschäftspolitesse:* Politesse: frz., Höflichkeit, hier: beruflich geforderte Mischung von Zurückhaltung und Vertraulichkeit.

156,4 *Spalierarbeit:* frz., Arbeit am Lattengitter.

157,8 f. *Charlottenburger Schloßkuppel:* Vgl. Fontanes Brief an Emil Schiff vom 15. 2. 1888 (Kap. II).

158,28 f. *Viel Freud ... Lied:* viell. Anklang an Klärchens Lied in Goethes »Egmont« (III,2), das Fontane in seinen Theaterkritiken von 1870 und 1885 auch ausdrücklich erwähnt: »Freudvoll und leidvoll« (Hanser-Ausgabe, 3. Abt., Bd. 2, S. 18, 668). Die letzten Zeilen von Klärchens Lied könnten auf Bothos Situation andeuten: »Glücklich allein / Ist die Seele, die liebt.« Vgl. auch Josef Ettlinger: »[Lene] ist ein in die Gegenwart übersetztes Egmont-Klärchen, aber mit dem wissenden und sehenden Verstande des modernen Großstadtkindes begabt und deshalb vor hochtragischen Enttäuschungen geschützt« (Theodor Fontane. Ein Essai, Berlin: Marquart 1904, S. 36).

## Dreiundzwanzigstes Kapitel

160,7 f. *Minerva mit Schild und Speer:* die Attribute der röm. Göttin Minerva, der Beschützerin der Künste und Wissenschaften, zugleich Insignien ihrer Macht.

160,18 f. *ein Exempel statuiert:* ein warnendes Beispiel gegeben.

160,20 *die Rolle des donnernden Zeus:* die Rolle des Herrschers im Hause, wie Zeus, der als König der griech. Götter und Menschen als Beschützer der Ordnung galt. Zeichen und Mittel seiner Macht waren der Donner und der Blitz.

161,13 f. *Moniteur ... das »Fremdenblatt«:* Moniteur: frz., Ratgeber, Anzeiger. Das 1862 gegründete Berliner Fremden- und Anzeigeblatt (seit 1876 »Berliner Fremdenblatt«) war ein Anzeiger der Gesellschaft.

161,16 ff. *wie wird Käthe sich freuen:* Vgl. Käthes Reaktion auf die Heiratsanzeige am Romanschluß (182,2 ff.).

161,28 *die Vandalen:* exklusive Heidelberger Studentenverbindung, nach dem germanischen Volk benannt.

161,36 *Suppenliste:* Sammelliste für wohltätige Zwecke.

163,7 f. *neben dem Kanal ... Plötzensee:* Berliner-Spandauer Schiffahrtskanal, auf die Jungfernheide zu.

163,20 *Tschapkas:* poln., Ulanenhelme.

163,24 f. *die Rexins:* bekannt war der Name Rex, z. B. Woldemars Freund im »Stechlin«.

163,36 *Bozel:* Koseform für Bogislaw, vgl. 164,10.

165,23 *Allüren:* frz., übertriebenes, wunderliches Gebaren; gekünstelte Umgangsart.

165,28 *Superiorität:* Überlegenheit.

166,6 *Sacramento:* Fluß in Kalifornien.

166,8 *Diggings:* engl., Goldfelder.

166,10 f. *Natürlichkeit, Schlichtheit und wirkliche Liebe:* Vgl. 166,33 f.; ferner die wiederholte Charakterisierung von Lene mit ähnlichen Begriffen (vgl. die Anm. zu 146,30 f.).

166,17 *Sanktion:* Billigung, Anerkennung.

166,22 *nihilistisch:* nihil: lat., nichts. Nihilismus: Umsturzbewegung in Rußland, Mitte des 19. Jh.s, wurde bes. durch Iwan Turgenjews Roman »Väter und Söhne« (1862) allgemein bekannt. Ablehnung aller bestehenden Autoritäten und Anschauungen, Bestehen auf Freiheit und Souveränität des Individuums. Eher ein philosophischer und literarischer Begriff als ein politischer (Anarchismus).

166,24 f. *Ich bin ... für Monogamie:* Monogamie: griech., Einehe, Ehe mit nur einem Partner im Gegensatz zur Polygamie. Vgl. hierzu Fontanes Brief an seinen Sohn Theodor vom 8. 9. 1887 (Kap. II) sowie die Rezension von Robert Hessen (Kap. III,1).

166,30 *Philister:* Angehöriger eines nichtsemitischen Volkes an der Küste Palästinas, eines Nachbarvolkes der Israeliten; fig., engstirniger Mensch, Spießbürger; Studentenspr., Nichtstudent.

166,32 *wo Herz zum Herzen spricht:* Vgl. den ironisch-sentimentalischen Untertitel bzw. die ironisch-sentimentalische Verszeile in »Frau Jenny Treibel« (1892/93): »Wo sich Herz zum Herzen find't«. Der urspr. Titel bzw. Untertitel (1882) dieses Romans lautete: »Die Frau Bourgeoise oder ›Wo nur Herz und Seele spricht‹ (darüber: zum Herzen)«. Vgl. hierzu Frederick Betz: ›Wo sich Herz zum Herzen find't‹: The Question of Authorship and Source of the Song and Subtitle in Fontane's ›Frau Jenny Treibel‹, in: German Quarterly, Bd. 49 (1976) S. 312–317.

167,1 *Freiheit, ein zweischneidig Schwert:* Vgl. »Quitt«, Kap. 19: »Denn die Freiheit, deren wir uns hier rühmen und freuen, ist ein zweischneidig Schwert.«

167,6 *Konfidenzen:* Vertraulichkeiten, vertrauliche Mitteilungen.
168,1 *natürliche Konsequenz:* Vgl. Fontanes Brief an seinen Sohn Theodor vom 8. 9. 1887 (Kap. II).

### Vierundzwanzigstes Kapitel

169,30 f. *das alte Weißbierlokal ... Namen:* Tempelhofer Ufer 19. Der erste Besitzer hieß Buberitz; die spottlustigen Berliner hatten den Namen in derber Weise umgeformt, indem sie aus den beiden ›b‹ zwei harte ›p‹ fabrizierten. Vgl. Fontane, Briefe an Hertz, S. 13, 399.
170,8 f. *cher ami, nous verrons:* frz., lieber Freund, wir werden sehen.
170,14 *Potsdamer Bahnviadukt:* Eisenbahnbrücke über den Landwehrkanal zum Potsdamer Bahnhof am Potsdamer Platz.
170,19 *Aber die drüber haben es nicht besser:* Anspielung auf das Liebesthema und die Gesellschaftsschichten im Roman?
170,21 *Vorstellungen sind überhaupt so mächtig:* Vgl. »L'Adultera«, Kap. 16 (»Abschied«): »Erinnerungen aber sind mächtig [...].« Käthes Bemerkung steht in ironischem Verhältnis zu Lenes Aussage beim Abschied von Botho, vgl. die Anm. zu 105,19.
170,25 *Armstrong:* verbreiteter Name, damals bes. bekannt durch den Ingenieur William George Armstrong (1810 bis 1900), den Begründer einer großen engl. Waffenfabrik.
170,27 *Alvensleben:* sehr bekannte preuß. Adelsfamilie, die viele Generale stellte.
170,31 *clay:* engl., Erde, Lehm, Lehmboden.
170,34 f. *Bei den badischen Dragonern war ein Armstrong:* Das bad. Militär bildete nach der mit Preußen abgeschlossenen Konvention einen Teil des preuß. Heeres, darunter drei Dragonerregimenter. Dort war ein Douglas, mit dem Fontane einen herkunftsgerechten Namenstausch vornimmt.
171,19 *Bertha:* alter dt. Vorname, eigtl. ›die Glänzende‹, wahrscheinlich eine alte Kurzform von weibl. Vornamen, wie z. B. Berthilde oder Amalberta. Der Name, der im Mittelalter sehr beliebt war, wurde zu Beginn des 19. Jh.s,

durch die Ritter- und romantische Dichtung neu belebt (vgl. Duden Lexikon der Vornamen, S. 46). Eine Bertha war Hausangestellte Fontanes (Fontane: Von Dreißig bis Achtzig. Sein Leben in seinen Briefen. Hrsg. von Hans-Heinrich Reuter. München: Nymphenburger Verlagshandlung ²1970. S. 258, 478).
*Minette:* weibl. Vorname, französierende Weiterbildung von Mine (Kurzform von Wilhelmine oder Hermine); vgl. Minna, im 18. Jh. aufgenommene Kurz- und Koseform. Der Name kam im 19. Jh. so häufig vor, daß er – als typischer Dienstmädchenname – abgewertet wurde (vgl. Duden Lexikon der Vornamen, S. 155 f.).

172,18 f. *Käthe, Puppe, liebe Puppe:* ironische Anlehnung an Ibsens Drama »Nora oder ›ein Puppenheim‹« (1879/80)? Vgl. hierzu Hans-Heinrich Reuters Erläuterungen zu Fontanes unveröffentlichter Besprechung (etwa 1887) von Ibsens Stück: »Bei keinem anderen Stück Ibsens läßt sich eine ähnlich starke Affinität zu Fontanes Romanwerk nachweisen. Die Grundzüge der sinnentleerten Ehen Rienäckers und Innstettens [»Effi Briest«] scheinen in Fontanes Inhaltswiedergabe [...] reproduziert zu sein. [...] und [Käthes] Entgegnung [172,20–24] ist nichts als der oberflächlich-vordergründige, gleichwohl ›bedeutende‹ Revers zum Thema von Ibsens Drama« (Fontane: Aufzeichnungen zur Literatur. Ungedrucktes und Unbekanntes. Hrsg. von Hans-Heinrich Reuter. Berlin/Weimar: Aufbau-Verlag 1969. S. 363 f.).

## Fünfundzwanzigstes Kapitel

173,19 *Gentleman:* engl., Mann von Welt, von guter Lebensart; feingebildeter Mann.

173,21 *Nonchalance:* frz., Unbekümmertheit.

173,26 *Pennal:* Federbüchse, Federtasche.

173,34 *Insolent:* lat., ungebührlich, frech.

174,3 *Jahrestag von Königgrätz:* Am 3. 7. 1866 wurde die Schlacht bei Königgrätz geschlagen.

174,3 f. *dreiunddreißig Wedells:* Vgl. die Anm. zu 40,9. 1884 stellte die Familie noch 30 Offiziere.

174,4 *im Siebenjährigen Kriege:* 1756–63, der dritte und opferreichste der drei Schlesischen Kriege.

174,14 *seines Clans:* Clan: engl., (ir.-schott.), Sippe, Stamm.
175,2 *Loch Neß ... Loch Lochy:* Vgl. zu dieser Schilderung Fontanes »Jenseit des Tweed« (1860), Kap. »Ein Sonntag in Perth« (Hanser-Ausgabe, 2. Aufl., Abt. 3 Bd. 3,1, S. 306 f.).
175,12 *Attachement:* frz., Anhänglichkeit.
175,36 *kakerlakigen:* albinohaften, weißlichen.
176,3 *Krypt:* griech., Gruft, Grabkapelle; hier die Unterkirche im Limburger Dom.
176,3 f. *Kadettenanstalt:* frz., militärische Erziehungsanstalt für Offiziere, in Oranienstein. Dorthin war zeitweilig Fontanes Sohn George (1851–87) als Erzieher abkommandiert, vgl. Fontanes Brief an Ludovica Hesekiel vom 15. 1. 1879 (Briefe [Propyläen] IV,151).
176,4 *Wasserheilanstalt:* die Kaltwasserheilanstalt in Nassau.
176,19 *Lunch:* engl., Gabelfrühstück zur Mittagszeit.
176,28 f. *das Mausoleum:* im Park des Charlottenburger Schlosses, mit Grabdenkmälern verschiedener Hohenzollern.
176,34 *Karpfenbrücke:* über den Karpfenteich im Schloßpark von Charlottenburg.
176,35 *Mooskarpfen:* alter Karpfen, der zuweilen auch mit Moos bewachsen ist.
177,8 *das Belvedere:* ebenfalls im Charlottenburger Schloßpark. Belvedere: ital., schöne Aussicht.
177,13 *General von Bischofswerder:* Johann Rudolf von Bischoffwerder (1741–1803), General und Minister, Günstling Friedrich Wilhelms II. von Preußen, Anhänger des Illuminatenordens (Rosenkreuzer), förderte mit seinen Geisterbeschwörungen die okkultischen Neigungen des Königs.
177,16 f. *seiner Geliebten:* Wilhelmine Enke, verh. Rietz (Kammerdiener des Königs), zur Gräfin von Lichtenau erhoben.
177,24 *Königin Luise:* 1776–1810, 1793 mit dem Kronprinzen Friedrich Wilhelm von Preußen, dem späteren König Friedrich Wilhelm III., vermählt. Zu dieser Stelle vgl. die Erläuterung der Hanser-Ausgabe (2. Aufl.): »Als Reaktion auf die Luisen-Legende des 19. Jahrhunderts ist die ironische Bemerkung: › W i e muß sie gelitten haben!‹

im Text [177,25] zu verstehen, die auf die angeblichen Liebesabenteuer der Königin anspielt – keine Identifikation mit der Anklage, wohl aber eine Distanzierung von der Phrase« (II,948 f.).

### Sechsundzwanzigstes Kapitel

179,3 *Fauteuil:* frz., Lehnsessel.
179,16 *Suffisance:* frz., Dünkel.
179,17 *Table d'hote:* frz., Gästetafel im Hotel.
179,19 *›die Pompadour‹:* Marquise de Pompadour (1721 bis 1764), Geliebte Ludwigs XV. von Frankreich; nach ihr wurde (vgl. 179,28 ff.) ein beutelförmiges Handtäschchen aus Stoff benannt.
179,36 f. *Reticules ... Ridicules:* Wortspiel: Reticules: frz., Arbeits- oder Strickbeutel; Ridicules: frz., Lächerliche.
180,4 *Impertinenz:* frz., Unverschämtheit, Frechheit.
180,20 *Walfischrippe:* deutet auf Frau Dörr, die offenbar ein Korsett anhatte (181,2 f.).
181,1 *Kranz:* Symbol der Jungfräulichkeit.
181,8 *Schmidt in der Friedrichstraße:* »Kunst- und Handelsgärtnerei G. Schmidt«, Friedrichstraße 177.
182,11 *Gideon ist besser als Botho:* Vgl. Charlotte Jolles: ›Gideon ist besser als Botho.‹ Zur Struktur des Erzählschlusses bei Fontane, in: Festschrift für Werner Neuse, hrsg. von Herbert Lederer und Joachim Seyppel, Berlin: Die Diagonale 1967, S. 76–93. Jolles hält »das ironische Selbsturteil Bothos« für »Fontanes vollkommensten Romanschluß, weil er den ästhetischen und sittlichen Sinn des Lesers befriedigt«. Dadurch werde »ein Gleichgewicht hergestellt zwischen Anerkennung einer Ordnung und Kritik an der Gesellschaft, zwischen menschlicher Schwäche und menschlicher Einsicht« (S. 82). Zum Romanschluß vgl. ferner Liesenhoff, S. 90–92 (auch im Kap. III,3).

## II. Fontane über »Irrungen, Wirrungen«

Zur Entstehungsgeschichte von »Irrungen, Wirrungen« sei auf die detaillierten Darstellungen von Jürgen Jahn (Aufbau-Ausgabe, V,529–543) und Helmuth Nürnberger (Hanser-Ausgabe, 2. Aufl., II,906–911) hingewiesen. »Irrungen, Wirrungen« gehört, wie Nürnberger bemerkt (S. 906), zu den Prosawerken Fontanes, von denen uns nicht bekannt ist, ob ihnen ein realer Vorgang zugrunde liegt. Die Handschrift des Romans ist verschollen; die wenigen erhaltenen Aufzeichnungen zu verschiedenen Kapiteln (9, 12, 20), die sich in einem Notizbuch Fontanes (Fontane-Archiv, Kasten B 15, S. 30 ff.) befinden und in der Aufbau-Ausgabe (S. 530–533) abgedruckt sind, geben keinen Aufschluß über eine Vorlage. Fontanes Briefe und Tagebücher zeigen sich auch über die Entstehungsgeschichte nicht sehr gesprächig; zumeist sind es, wie Nürnberger feststellt, chronologische Angaben, die übrigens nicht immer übereinstimmen. Die Niederschrift des ersten größeren Entwurfs führte Fontane während eines Aufenthalts in Hankels Ablage, Schauplatz von Bothos und Lenes »Landpartie« (Kap. 11–13), im Mai 1884 zu Ende, nicht »etwa ausgangs 1886«, wie Fontane Theodor Wolff am 28. April 1890 erklärte. 1886 wurde die Arbeit wieder aufgenommen und korrigiert; im folgenden Jahr arbeitete Fontane das Manuskript noch einmal durch.

»Irrungen, Wirrungen« erschien (mit dem Untertitel »Eine Berliner Alltagsgeschichte«) im Vorabdruck in der »Vossischen Zeitung. Königlich privilegierte Berlinische Zeitung von Staats- und gelehrten Sachen« zwischen dem 24. Juli und dem 23. August 1887. Die Buchausgabe (mit dem Untertitel »Roman«) erschien Ende Januar, Anfang Februar 1888 bei dem Leipziger Verleger F. W. Steffens, der 1884, damals noch in Dresden, bereits »Graf Petöfy« verlegt hatte. Von der ersten Auflage der Buchausgabe existieren aber noch zwei andere rechtmäßige Ausgaben (die in Kap. V verzeichnet sind); eine Notiz Friedrich Fontanes vom 8. August 1931 zu einem an ihn gerichteten Brief seines Vaters vom 23. Januar 1890 gibt über die merkwürdige Geschichte dieser drei verschiedenen Erstausgaben Auskunft: »Bei F. W. Steffens, Leipzig, war 1888 ›Irrungen, Wirrungen‹ erschienen. Aber

St. war kränklich und verkaufte schon ein knappes Jahr darauf die Restbestände dieses Romans incl. Verlagsrechte an R. Hübner in Königsberg (O.Pr.), der aber ebenfalls die Verlegerei wieder sehr bald aufgab. Noch kurz vor Jahresschluß, also kurz vor dem 70. Geburtstag [Fontanes], gelang es meiner Firma [F. Fontane & Co.], die ca. 500 Restbestände des Romans käuflich von Matz zu erwerben. Damit ging auch das Verlagsrecht für künftige Auflagen an uns über« (zit. nach Gotthard Erler: Die Dominik-Ausgabe. Eine notwendige Anmerkung, in: Fontane-Blätter, Bd. 1, H. 7, 1968, S. 357).

Die folgende Auswahl von Briefen und Tagebucheintragungen Fontanes über »Irrungen, Wirrungen« ist fast ausschließlich der Dokumentation von Richard Brinkmann und Waltraud Wiethölter: Dichter über ihre Dichtungen: Theodor Fontane, Bd. 2, S. 358 ff., entnommen. Dabei werden (bis auf Fontanes Brief an seine Frau vom 14. Mai 1884 über seine Arbeitsweise) die datenmäßigen Aussagen über die obenskizzierte Entstehungsgeschichte übersprungen; hier wird auch auf einen Wiederabdruck der obenerwähnten Entwürfe zu verschiedenen Kapiteln verzichtet, da sie nicht von grundsätzlicher Bedeutung sind. Die vorliegende Dokumentation beschränkt sich auf Fontanes Stellungnahmen zur Veröffentlichung (des Vorabdrucks sowie der Buchausgabe) und Rezeption (vgl. Kap. III,1) seines Romans.

An seine Frau, 14. Mai 1884 (Hankels Ablage):

»Trotz starken Abattu-seins[1] hab' ich auch heute wieder mein Kapitel geschrieben nach dem alten Goethe-Satze: ›Gebt ihr euch einmal für Poeten, So kommandirt die Poesie.‹ Daß es gleich gut wird, ist schließlich auch nicht nöthig und eigentlich von *dem* der täglich sein Pensum arbeitet auch nicht zu verlangen. Es wird wie's wird. In der Regel steht Dummes, Geschmackvolles, Ungeschicktes neben ganz Gutem und ist Letztres nur überhaupt da, so kann ich schon zufrieden sein. Ich habe dann nur noch die Aufgabe es herauszupulen. Dies ist zwar mitunter nicht blos mühsam, sondern auch schwer, es giebt einem aber doch eine Beruhigung zu wissen ›ja, *da* ist es, suche nur und finde.‹ Meine ganze Pro-

1 abattu: frz., niedergeschlagen, entmutigt.

duktion ist Psychographie und Kritik, Dunkelschöpfung im Lichte zurechtgerückt. Ein Zufall hat es so gefügt, daß ich diese ganze Novelle mit halber und viertel Kraft geschrieben habe. Dennoch wird ihr dies schließlich niemand ansehn.«

B/W II,360

An seine Frau, 10. Juli 1887:

»Ich habe gestern die 4 Bogen (64 Seiten) gelesen, die den Anfang von Lindau's ›Arme Mädchen‹[2] enthalten. Eine ganze Weile war ich nicht sonderlich befriedigt, von dem Augenblick an aber wo der Charakter der Regine v. Sellnitz in den Vordergrund tritt und nun der Gang in die Oper und die Logenscene zwischen ihr und dem jungen Roué (auch eine famose Figur) geschildert wird, interessirte mich die Geschichte nicht blos, sondern imponirte mir auch. Ich hätte nicht gedacht, daß Lindau etwas so Hervorragendes schreiben könne; die Scene selbst ist tiefwahr, der Dialog wundervoll, die Wirkung bedeutend. [...] Die Ähnlichkeit mit ›Irrungen, Wirrungen‹, auch mit L'Adultera, Cécile und Stine ist mitunter außerordentlich groß, aber der Geist aus dem heraus wir schreiben, ist ganz verschieden. Er beherrscht diese Welt ganz anders wie ich und ich stehe was wissen, Eingeweihtsein, Anschauungen etc. angeht wie ein Waisenknabe neben ihm, aber in diesem blos halben Wissen und in dem Gezwungensein dichterisch nachzuhelfen, stecken auch wieder meine Vorzüge.«

Hanser-Ausgabe, 2. Aufl., II,912

An Friedrich Stephany, den Chefredakteur der »Vossischen Zeitung«, 13. Juli 1887:

»Es tut mir leid, daß sich das Spiel mit der Novelle so lange verzögert hat, es könnte nun schon halb zu Ende sein; ich kann mir aber keinen Vorwurf machen, alles blieb so mitternächtig ruhig, daß ich Gespenster sah und mich mit mei-

2 Vgl. Fontanes Rezension (in der »Vossischen Zeitung« Nr. 555 vom 17. 11. 1887) über Lindaus Roman in »Literarische Essays und Studien«, hrsg. von Kurt Schreinert, München 1963 (Nymphenburger-Ausgabe, Bd. 21) Teil 1, S. 289–292. Zu Fontanes Kritik an Lindaus Roman vgl. auch Klaus Günther Just: Von der Gründerzeit bis zur Gegenwart. Geschichte der deutschen Literatur seit 1871, Bern/München: Francke 1973, S. 48.

nem M. S.[3] unterm Arm nicht recht heraustraute. Mit nach captatio benevolentiae[4] schmeckenden Bemerkungen über die Novelle behellige ich Sie nicht; Schicksal nimm deinen Lauf; die Würfel fallen und ich muß abwarten 12 oder 0. An Fleiß habe ich es nicht fehlen lassen, ich habe weit über ein Jahr daran gearbeitet und wie! Vielleicht würd' es sich – wenn es nicht schon zu spät ist – empfehlen, einfach die Überschrift zu machen:

*Irrungen, Wirrungen*
Von Theodor Fontane.

›Roman‹ sagt gar nichts und ›Berliner Roman‹ ist schrecklich und schon halb in Mißkredit. ›Eine Berliner Alltagsgeschichte‹ ist, glaub' ich, nicht übel, aber man könnte es nur dem 1. Kapitel vordrucken und dann in der Folge gar keine weitere Bezeichnung. Wiederholt man diese Bezeichnung nämlich, so wirkt sie höchst prätentiös.«

B/W II,362

An den Verleger Emil Dominik, 14. Juli 1887:

»Ihren liebenswürdigen Brief vom 4. [...] hätte ich viel früher beantwortet, wenn ich nicht gewünscht hätte, vorher über die Schicksale meiner für die Vossin bestimmten Novellen [›Irrungen, Wirrungen‹ und ›Stine‹] aufgeklärt zu sein. Stephany kam und kam nicht (er war diesmal 8 Wochen fort statt der herkömmlichen 6), und da sich, in seiner Abwesenheit, weder Lessing noch der stellvertretende Redakteur Dr. Liepmann bei mir meldeten, so kam mir der Soupçon: ›Gott, die fangen wohl an, mau zu werden.‹ Hätte sich dieser Soupçon nun bestätigt, so hätte ich mir erlaubt, Ihnen die Novelle anzubieten, wiewohl ich weiß, daß man Arbeiten (auch ungelesene), die von andern eben zurückgewiesen wurden, nicht gleich wieder ins Feuer schicken soll. [...] Nun, um's kurz zu machen, meine Befürchtungen waren ungegründet, Stephany bei seiner Rückkehr [...] sehr liebenswürdig, und so wird denn wohl der Abdruck am Sonntag oder Dienstag früh beginnen. In einem Betracht bin ich froh

3 Manuskript.
4 Haschen nach Wohlwollen.

darüber, weil das beßre Publikum der Vossin so recht in der Lage ist, den berlinischen ›flavour‹ der Sache – worauf ich mich schließlich doch wohl am besten verstehe – herauszuschmecken, auch hat das rasche Aufeinanderfolgen der Kapitel große Vorteile; andrerseits sag ich mir: ›Gott, wer liest Novellen bei die Hitze, wer hat jetzt Lust und Fähigkeit, auf die hundert und, ich kann dreist sagen, auf die tausend Finessen zu achten, die ich dieser von mir besonders geliebten Arbeit mit auf den Lebensweg gegeben habe.‹ Den Geldpunkt lasse ich dabei noch unerwähnt; ich kriege nun, weil es schon ein über 4 Jahr altes Abkommen ist, 400 Mark pro Nord-und-Süd Bogen, während mir Kröner für meine neueste, im vorigen Jahr in Krummhübel geschriebene Arbeit [›Quitt‹] 600 Mark zahlt. Es ist mir dies aber gleichgültig, was ich mit Nachdruck hervorhebe, damit Sie nicht unter ironischem Lächeln sagen: ›Donnerwetter, der ist teuer geworden.‹ Unter 400 möchte ich nicht mehr sinken, aber was darüber ist, ist mir angenehm, ohne Gegenstand der Begehrlichkeit zu sein. Wenn Sie die Arbeit lesen, Sie machen ja dergleichen möglich, und wenn's auch Geschäfte hagelt, bin ich neugierig, Ihre Meinung darüber zu hören, und ob Sie's als Fluch oder Segen ansehn, an der Geschichte vorbeigeschrammt zu sein.«

B/W II,363 f.

An Friedrich Stephany, 16. Juli 1887:

»Seien Sie schönstens bedankt für Ihren Brief und die *erste* Kritik über ›Irrungen, Wirrungen‹; ich kann nur sagen, ich wünsche von Herzen, daß die Kritiken, die folgen werden, nicht unfreundlicher ausfallen mögen. Vor dem Publikum – vielleicht weil ich es nach *der* Seite hin zu wenig kenne – graule ich mich nicht sonderlich, des Hauses Lessing[5] aber ›und aller, die ihm anverwandt und zugetan sind‹, wünschte ich wohl sicher zu sein. Ja, Sie haben es vorzüglich getroffen: ›Die Sitte gilt und muß gelten‹, aber daß sie's muß, ist mitunter hart. Und weil es so ist, wie es ist, ist es am besten, man bleibt davon und rührt nicht dran. Wer dies Stück Erb- und Lebensweisheit miß-

5 Carl Robert Lessing (1827–1911), Haupteigentümer der »Vossischen Zeitung«.

achtet – von Moral spreche ich nicht gern; Max Ring[6] spricht immer von Ehre –, der hat einen Knacks fürs Leben weg. Ja, das wär es ungefähr.
Wenn ich Tugendphilister dergleichen schreiben konnte, so ist das die ewig alte Geschichte: Rotköppe mit Sommersprossen und einer riesigen Sirupsstulle im Mund verschlingen Heldengeschichten, und Leute, die keine Fliege an der Wand töten können, sind literarisch von einer Beilfertigkeit, um die sie Krauts[7] beneiden könnte. So bin ich zum Schilderer der Demimondeschaft geworden, ich hab es durch Intuition, um nicht blasphemisch zu sagen ›von oben‹. Schließlich ist es aber nicht so wunderbar damit, erstlich hat man doch auch in grauer Vergangenheit in dieser Welt rumgeschnüffelt, und zweitens und hauptsächlichst, alles, was wir wissen, wissen wir überhaupt mehr historisch als aus persönlichem Erlebnis. Der ›Bericht‹ ist beinah alles, alles ist Akten- oder Buch- oder Zeitungswissen, auch in den intimsten Fragen. Ich bilde mir ein, über den Alten Fritzen einen Essay aus dem Stegreif schreiben zu können, und manche sollen wirken, als ob ich bei Kunersdorf oder Torgau oder auf der Terrasse von Sanssouci mit dabeigewesen wäre; [...] – Wann der Abdruck beginnt, ist mir gleich, und ich bedaure nur, durch unangebrachte Zurückhaltung eine Konfusion angestiftet zu haben. Den Korrekturfahnen sehe ich entgegen.«

B/W II,364 f.

An Friedrich Stephany, 26. Juli 1887:

»Ich fürchte nun doch Anstoß gegeben zu haben[8] und hoffe nur noch von dieser blauen Tinte das Beste. Wenn Sie mit bewährter wohlwollender Gesinnung gegen mich, sich einen Augenblick in meine Lage versetzen, so werden Sie meine

6 Max Ring (1817–1901), Arzt und erfolgreicher Schriftsteller in Berlin. Vgl. Fontanes Brief an seine Frau vom 15. 6. 1879: »Die Sachen von der Marlitt, von Max Ring, von Brachvogel, Personen, die ich gar nicht als Schriftsteller gelten lasse, erleben nicht nur zahlreiche Auflagen, sondern werden auch womöglich ins Vorder- und Hinterindische übersetzt; um mich kümmert sich keine Katze« (Briefe [Aufbau] II,10).
7 Berliner Scharfrichter.
8 Fontane hatte sich in seinem Brief an Stephany vom 18. Juli über den Fahnenabzug der ersten 6 Kapitel seines für den Vorabdruck in der »Vossischen Zeitung« bestimmten Romans beschwert.

Nervosität begreiflich finden. Und das Begreifliche ist nach einem französischen Sprichwort auch immer das Entschuldbare. Denken Sie, daß ich 20 mal hintereinander ›und‹ korrigieren mußte. Natürlich schwankt die Redensart meiner verschiednen Berliner Figuren, ganz so wie es im Leben ist, zwischen ›un‹ und ›und‹, aber so lange die Welt steht, hat noch kein Berliner ›und‹ gesagt, am wenigsten 20mal. Und doch hätte *das* noch gehen mögen. Aber dann schreibt Lene einen Brief an Botho und schreibt ›emphelen‹ und Botho, der sich darüber freut, macht ein Strichelchen an den Rand, und ich meinerseits schreibe als Sicherheitskommissarius an den Rand ›emphelen‹, ich glaube mit Ausrufungszeichen, und nach all diesen Vorsorglichkeiten steht richtig da ›empfehlen‹ in furchtbarer Setzerkorrektheit, die hier leider so inkorrekt war wie möglich. Denn alle kleinen Betrachtungen Bothos, als er den Brief gelesen hat, drehen sich um dies falsche ›h‹ und in einem Schlußkapitel, als er die Briefe verbrennt, kommt er darauf zurück, und doch ›empfehlen‹ statt ›emphelen‹. Und ähnliches mehrfach, um nicht zu sagen vielfach. Ich werde nun durch ›Korrekturausbleiben‹ bestraft. Glückt es (was ja möglich), so bin ich freilich der Strafe froh.«

B/W II,366 f.

An seine Frau, 28. Juli 1887:

»Diese Zeilen kamen heut früh und erfreuten mich sehr. Mein Calcül war also richtig: er leidet unter dem Hochmuth und der Tyrannei der Herrn Setzer [...]. Auch daß er L[essing] die drei Kapitel gezeigt, ist mir sehr angenehm.[9]«

B/W II,367

9 Vgl. Stephanys Brief vom 27. Juli an Fontane: »[. . .] so habe ich uns beide in bezug auf Frau Lessing sichergestellt. Ich sprach mit Lessing darüber u. gab ihm Kapitel 11, 12 u. 13 zu lesen. ›Mein Gott, sagte er, was ist da weiter; daß zwei Leute miteinander schlafen gehn, ist doch am Ende so schlimm nicht!‹ Das wollte ich; *diese* Stimmung für Ihre Novelle hatte ich vorher bei ihm vorzubereiten gesucht. Nun hat *er* die Sache bei seiner Frau zu vertreten u. muß als unser Anwalt bei ihr, falls Skrupel bei ihr auftauchen sollten, eintreten« (Hanser-Ausgabe, 2. Aufl., II,910).

An Friedrich Stephany, 1. August 1887:

»Ich schulde Ihnen noch meinen Dank für Ihren liebenswürdigen Brief [vom 27. Juli, vgl. Anm. 9] u. für die ›Wandlung der Dinge‹. Die Fahnen erscheinen jetzt, als ob sie zum Kaiser in's Palais sollten. Eigentlichste Veranlassung meines Schreibens heut ist die Bitte, sobald sich's thun läßt, einigen Mammon an meine, glaub' ich, ziemlich abgebrannte Frau gelangen zu lassen, sagen wir 500 Mk. Wenn das Finanzministerium der Ztg. nicht besserer Berechnung u. Vertheilung halber 1000 Mk. vorzieht. Der Preis der ganzen Geschichte, hoffentlich geht kein Schaudern durch's Land, wird sich auf ungefähr 3000 Mk. stellen. Ich rechne $7^1/_2$ Nord u. Süd-Bogen à 400 Mark. Etwaige Differenzen können nur ganz gering sein.[10]«

B/W II,367

An seinen Sohn Theodor, 8. September 1887:

»Sei schönstens bedankt für Deinen lieben Brief, dem ich in vielen Stücken zustimmen kann, freilich nicht in allen. In der Parallele, die Du zwischen ›Irrungen, Wirrungen‹ und ›Cécile‹ ziehst, stehe ich ganz auf Deiner Seite. [...]
Auch darin hast Du recht, daß nicht alle Welt, wenigstens nicht nach außen hin, ebenso nachsichtig über Lene denken wird wie ich, aber so gern ich dies zugebe, so gewiß ist es mir auch, daß in diesem offnen Bekennen einer bestimmten Stellung zu diesen Fragen ein Stückchen Wert und ein Stückchen Bedeutung des Buches liegt. Wir stecken ja bis über die Ohren in allerhand konventioneller Lüge[11] und sollten uns schämen über die Heuchelei, die wir trei-

10 Im Vergleich zu anderen zeitgenössischen Autoren (wie z. B. Storm und Raabe) gilt Fontane nach Eva D. Becker in der Honorarfrage als »ein Schriftsteller mittlerer Anziehungskraft«. Vgl. Eva D. Becker: ›Zeitungen sind doch das Beste.‹ Bürgerliche Realisten und der Vorabdruck ihrer Werke in der periodischen Presse, in: Gestaltungsgeschichte und Gesellschaftsgeschichte. Literatur-, kunst- und musikwissenschaftliche Studien, hrsg. von Helmut Kreuzer, Stuttgart: Metzler 1970, S. 393.

11 Die Schlagwortwendung ›konventionelle Lüge‹ ist durch Max Nordaus (1849–1923) Buch »Die konventionellen Lügen der Kulturmenschheit« geflügelt worden, das 1883 erschien und damals viel gelesen wurde. Die Wendung ist aber älter, vgl. Georg Büchmann, »Geflügelte Worte«, Berlin: Haude & Spener [31]1964, S. 369 f.

ben, über das falsche Spiel, das wir spielen. Gibt es denn, außer ein paar Nachmittagspredigern, in deren Seelen ich auch nicht hineinkucken mag, gibt es denn außer ein paar solchen fragwürdigen Ausnahmen noch irgendeinen gebildeten und herzensanständigen Menschen, der sich über eine Schneidermamsell mit einem freien Liebesverhältnis *wirklich* moralisch entrüstet? *Ich* kenne keinen und setze hinzu, Gott sei Dank, daß ich keinen kenne. Jedenfalls würde ich ihm aus dem Wege gehn und mich vor ihm als vor einem gefährlichen Menschen hüten. ›Du sollst nicht ehebrechen‹, das ist nun bald 4 Jahrtausende alt und wird auch wohl älter werden und in Kraft und Ansehn bleiben. Es ist ein *Pakt*, den ich schließe und den ich schon um deshalb, aber auch noch aus andern Gründen ehrlich halten muß; tu ich's nicht, so tu ich ein Unrecht, wenn nicht ein ›Abkommen‹ die Sache anderweitig regelt. Der freie Mensch aber, der sich nach *dieser* Seite hin zu nichts verpflichtet hat, kann tun, was er will, und muß nur die sogenannten ›*natürlichen Konsequenzen*‹, die mitunter sehr hart sind, entschlossen und tapfer auf sich nehmen. Aber diese ›natürlichen Konsequenzen‹, welcher Art sie sein mögen, haben mit der Moralfrage gar nichts zu schaffen. Im wesentlichen denkt und fühlt alle Welt so, und es wird nicht mehr lange dauern, daß diese Anschauung auch *gilt* und ein ehrlicheres Urteil herstellt. Wie haben sich die Dinge seit den ›Einmauerungen‹ und ›In-den-Sack-Stecken‹ geändert, und sie werden sich weiter ändern. Empörend ist die Haltung einiger Zeitungen, deren illegitimer Kinderbestand weit über ein Dutzend hinausgeht (der Chefredakteur immer mit dem Löwenanteil) und die sich nun darin gefallen, mir ›gute Sitten‹ beizubringen. Arme Schächer! Aber es finden sich immer Geheimräte, sogar unsubalterne, die solcher Heuchelei zustimmen.«

B/W II,368 f.

An Paul Schlenther, Kritiker der »Vossischen Zeitung«, 14. September 1887:

»Ihre freundlichen Worte über ›Irrungen, Wirrungen‹ haben mir sehr wohl getan, da bis jetzt nur wenige den Mut gehabt haben, sich ehrlich zu den darin niedergelegten Anschauungen zu bekennen. Die meisten, soweit sie nicht Heuchler sind, warten, gestützt ›auf des Mutes beßren Teil‹, erst ab, wie der Hase läuft. Nun alle Mitglieder meiner Familie, die doch vielleicht am ehesten die Nase rümpfen könnten, haben sich rückhaltlos für den ›Alten‹ erklärt. Mein alter Theo in Münster an der Spitze, der mich in seiner Mischung von Tugend und natürlicher Verwegenheit (alle Natur ist verwegen) geradezu gerührt hat.«

B/W II,369

An seine Frau, 20. September 1887:

»Der Brief an die Zeitungsexpedition betraf – auf Aufforderung derselben – die Honorarberechnung für ›Irrungen, Wirrungen‹. Es macht 3050 Mark. Da solche Berechnungen mit Sylbenzählung immer um Kleinigkeiten variiren können, so habe ich selbstverständlich – auch schon um der Abrundung willen – 3000 Mark gefordert. Ich bin nun neugierig, wie sich die ›Prinzipalschaft‹ benehmen und ob sich Lessing einen kleinen Liebesbrief abringen oder die Sache durch Zahlung als erledigt ansehen wird. Ein Glück für mich, daß die 3 Zeitungsnummern alle *lebhaft* auf meiner Seite stehen: Stephany, Schlenther, Pietsch. [...]
Die Dame, Frau Poggendorf, die mich zum Rendezvous bestellte, war heute früh 9¹/₂ hier und blieb eine halbe Stunde. Ich bin nicht klug aus ihr geworden und weiß nicht ob sie unglücklich oder verrückt oder eine Schwindlerin ist. Sie ist 46 und muß mal *sehr* hübsch gewesen sein.«

B/W II,370

An Paul Schlenther, 20. September 1887:

»Erst seit gestern abend ist Lear mit Cordelia wieder da.[12] Zwischen literarischen Langweiligkeiten aller Art fand ich die Karte der Zwanglosen[13] ›unter Larven die einzig fühlende Brust‹[14]. Wie jedes bedeutendere Geistesprodukt, gewinnt auch diese Karte durch wiederholtes Lesen. Eine Welt voll Finessen geht einem erst allmählich auf. ›Die

12 Anspielung auf Shakespeares »König Lear«. Fontane war vom 19. 8. bis 19. 9. 1887 mit seiner Tochter Martha zur Sommerfrische in Krummhübel im Riesengebirge.
13 Von einem Ausflug nach Hankels Ablage. Über die »Zwanglosen« siehe die Einleitung zu Kap. III,1.
14 Leicht abgewandelte Zeile aus Schillers Ballade »Der Taucher« (1797).

Zwanglosen Töchter d'Arcs‹[15] allerliebst, aber es wird übertroffen von ›Königin Isabeau i. V. Schiller, i. V. Brahm‹. Dieser Schlußwitz kann nur von Allereingeweihtesten gewürdigt werden, vor denen der eigentliche Schiller, der *Brahmsche*, bereits im Verlage von W. Hertz ausgebreitet liegt.[16] [...]
Eben, während ich diese Zeilen schrieb, war eine Dame von sechsundvierzig bei mir, die mir sagte, ›sie sei *Lene*; ich hätte ihre Geschichte geschrieben.‹ Es war eine furchtbare Szene mit Massenheulerei. Ob sie verrückt oder unglücklich oder eine Schwindlerin war, ist mir nicht klar geworden.«

Briefe Theodor Fontanes. Zweite Sammlung. [An seine Freunde.] Hrsg. von Otto Pniower und Paul Schlenther. Berlin: Fontane 1910. Bd. 2. S. 140

An Georg Friedlaender, 10. Februar 1888:

»Schon wieder im Feld! Und diesmal mit den viel angefochtenen ›Irrungen, Wirrungen‹. Daß sie (die Irrungen) sich siegreich durcharbeiten, ist mir bei der entsetzlichen Mediokrität deutscher Kritik und deutschen Durchschnittsgeschmacks nicht wahrscheinlich. Ist auch nicht nöthig. Man muß es nehmen, wie's fällt. Und vielleicht hat man ja auch Unrecht. Aber ich glaub es nicht.«

B/W II,370

An Wilhelm Hertz, 10. Februar 1888:

»Darf ich Ihnen anbei mein Neustes überreichen? Ich hätte kaum den Muth dazu, wenn Ihnen nicht Ihr Herr Sohn zur Seite stünde, von dem ich gehört habe, daß er sich zu dieser Arbeit mehr zustimmend als ablehnend verhält. Und so mag er vertheidigend einspringen, wenn die Situation es nöthig macht.[17]«

B/W II,371

15 Anspielung auf Schillers »Jungfrau von Orleans« sowie auf den eigenen Roman (Kap. 13).
16 Bd. 1 von Otto Brahms Schiller-Studie (Berlin: Hertz 1888).
17 Nach den Reaktionen auf den Vorabdruck hatte Fontane offenbar darauf verzichtet, seinem Hauptverleger den Roman für die Buchausgabe anzubieten, zumal Hertz (1822–1901) von sich aus kein Interesse gezeigt hatte. Der Sohn Hans Adolf Hertz (1848–95) war ein Gründer der Berliner Zwanglosen Gesellschaft, die sich um eine positivere Aufnahme der Buchausgabe bemühte (vgl. die Einleitung zu Kap. III,1).

An Ludwig Pietsch, 10. Februar 1888:

»Wenn Ihre Güte Veranlassung nehmen wollte, der Welt zu versichern, daß der Roman selbst nicht zu den *großen* ›Irrungen‹ zählt und jedenfalls nicht die Absicht hatte, die ›Wirrungen‹ auf dem Gebiete der Sittlichkeit zu vergrößern (eher das Gegenteil), so würde ich Ihnen zu erneutem Danke verpflichtet sein.[18]«

B/W II,371

An Emil Schiff, 15. Februar 1888:

»Es erschiene mir wenig artig, wenn ich auf Ihren so liebevoll eingehenden Brief nicht ein paar Worte antworten wollte. Zunächst natürlich meinen besten Dank. Und nun die Dialektfrage! Gewiß wäre es gut, wenn das alles besser klappte, und die realistische Darstellung würde neue Kraft und neue Erfolge daraus ziehn. Aber – und indem ich dies ausspreche, spreche ich aus einer vieljährigen Erfahrung – es ist schwer, dies zu erreichen, und hat eine wirkliche Vertrautheit des Schriftstellers mit allen möglichen Dialekten seines Landes zur Voraussetzung. Ich griff früher, weil ich mich dieser Vertrautheit nicht rühmen darf, zu dem auch von Ihnen angeratenen Hilfsmittel und ließ durch Eingeweihte, die übrigens auch nicht immer zur Hand sind, das von mir Geschriebene ins Koloniefranzösische oder Schwäbische oder Schlesische oder Plattdeutsche transponieren. Aber ich habe dabei ganz erbärmliche Geschäfte gemacht. Alles wirkte tot oder ungeschickt, so daß ich vielfach mein Falsches wiederherstellte. Es war immer noch besser als das ›Richtige‹. Kurzum, so gewiß Sie im Prinzip recht haben, tatsächlich danach zu verfahren, wird sich nur selten ermöglichen lassen. Es bleibt auch hier bei den Andeutungen der Dinge, bei der bekannten Kinderunterschrift: ›Dies soll ein Baum sein.‹ Mit gewiß nur zu gutem Rechte sagen Sie: ›Das ist kein Wienerisch‹, aber mit gleichem Rechte würde ein Ortskundiger sagen (und ist gesagt): ›Wenn man vom Anhaltischen Bahnhof nach dem Zoologischen fährt, kommt man bei der und der Tabagie *nicht* vorbei.‹ Es ist mir selber fraglich, ob man von einem Balkon der Landgrafenstraße

18 Siehe die Rezension von Pietsch in Kap. III,1.

aus den Wilmersdorfer Turm oder die Charlottenburger Kuppel sehen kann oder nicht. Der Zirkus Renz, so sagte mir meine Frau, ist um die Sommerszeit immer geschlossen. Schlangenbad ist nicht das richtige Bad für Käthes Zustände; ich habe deshalb auch Schwalbach noch eingeschoben. Kalendermacher würden gewiß leicht herausrechnen, daß in der und der Woche in dem und dem Jahre Neumond gewesen sei, mithin kein Halbmond über dem Elefantenhause gestanden haben könne. Gärtner würden sich vielleicht wundern, was ich alles im Dörrschen Garten a tempo blühen und reifen lasse; Fischzüchter, daß ich – vielleicht – Muränen und Maränen verwechselt habe; Militärs, daß ich ein Gardebataillon mit voller Musik vom Exerzierplatz kommen lasse; Jacobikirchenbeamte, daß ich den alten Jacobikirchhof für ›tot‹ erkläre, während noch immer auf ihm begraben wird. Dies ist eine kleine Blumenlese, eine ganz kleine; denn ich bin überzeugt, daß auf jeder Seite etwas Irrtümliches zu finden ist. Und doch bin ich ehrlich bestrebt gewesen, das wirkliche Leben zu schildern. Es geht halt nit. Man muß schon zufrieden sein, wenn wenigstens der Totaleindruck der ist: ›Ja, das ist Leben.‹«

B/W II,371 f.

An seinen Sohn Theodor, 17. Februar 1888:

»Das gefeierte und verurteilte Buch ist nun da und präsentiert sich Dir im beifolgenden. Wirke für dasselbe; daß Münster die Stätte dafür, ist mir freilich nicht wahrscheinlich. Vor acht Tagen war ich noch in Furcht, daß man über das Buch herfallen werde, um es zu verschlingen, aber nicht im guten Sinne; heute schon bin ich in Furcht, daß nicht Huhn nicht Hahn darnach kräht. Es ist ein sonderbares Metier, die Schriftstellerei, und Du kannst mir danken, daß ich Dir zugerufen habe: bleibe davon! Nur die, die durchaus weiter nichts können und deutlich fühlen, daß sie, wohl oder übel, nun mal an diese Stelle gehören und *nur* an diese, nur *die* dürfen es wagen. Einfach, weil sie müssen und weil ein andres Leben sie erst recht nicht befriedigen würde. Wer aber fühlt, daß er auch Beine abschneiden oder Bahnhofswölbungen berechnen oder einen neuen Stern oder ein neues Alkaloid entdecken kann, der bleibe von den Künsten fern.«

B/W II,372 f.

Fontanes Tagebuch, 1. Januar bis 3. März 1888:

»Ende Januar oder Anfang Februar erscheint ›Irrungen – Wirrungen‹ bei F. W. Steffens. Die Zeitungen schweigen sich darüber aus, an der Spitze die Vossin. Erst ärgere ich mich darüber, nun ist es überwunden und ich lache. Viele Privatbriefe drücken ihre Zustimmung aus. Ich habe den ›Einen Leser‹, den sich Thiemus[19] immer wünschte und dessen er, wie er meinte, nicht sicher sei.«

B/W II,373

An Paul Schlenther, 1. April 1888:

»Der Dank für diese Liebesthat[20] soll doch nicht bis morgen früh warten. [...] In der ersten Hälfte war ich nicht sicher über den freundlichen Spender, aber die *Schluß*hälfte können nur Sie geschrieben haben. Welche Osterfreude! Vater, Mutter, Tochter, alles gerührt, – wenn man will, ein etwas lächerliches Bild, aber wie so vieles Lächerliche gut und erfreulich. Fünfzig Jahre lang habe ich mich nur bei Nullgrad-Erfolgen, ohne Lob und ohne Tadel hingequält und mich mit dem Gedanken, ohne rechte Sonne hingehn zu müssen, vertraut gemacht: da sieht der nur noch auf Stunden Gestellte den Ball am Horizont und ruft mit dem bekannten Seligen: ›Verweile doch usw.‹ Eine Liebesthat, eine Osterfreude.«

B/W II,373 f.

An Friedrich Stephany, 1. April 1888:

»Herzlichen Dank für die Osterfreude, die Sie mir heute früh bereitet haben. [...] Schlenther hat nie besser und liebenswürdiger geschrieben. Und wenn ich das sage, so sage ich es nicht, weil mich das Lob kaptivierte[21]. Lob zu hören, ist freilich immer angenehm, das hängt nun mal mit der Ichheit zusammen, aber für einen leidlich verständigen Menschen fällt doch die Qualität mehr ins Gewicht als die Quantität und das oft persiflierte Verlangen der Frauenherzen

19 Albert von Thiemus (1806–78), dessen Werk »Die harmonikale Symbolik des Altertums« (Köln 1868–76) wegen seiner Gelehrsamkeit und seines schwerfälligen Stils ebensowenig Besprechungen wie Leser fand.
20 Siehe Schlenthers Rezension in Kap. III,1.
21 kaptivieren: gefangennehmen, für sich gewinnen.

›sich verstanden zu sehn‹, – für den Schriftsteller hängt an der Erfüllung *dieses* Wunsches sein höchstes Glück.«

B/W II,374

An Max von Waldberg, 13. April 1888:

»Das Meiste was man von literarischer Arbeit hat, ist Enttäuschung, Neidhammelei, Verdruß, aber es kommen Tage, die alles wieder ins Gleiche bringen. ›Und solch ein Tag war's‹ darf ich variirend sagen. Wie wohlthuend jedes Wort.[22] Auch das mit dem Stücke-Schreiben. Aber davor hat mich Gott, trotz meiner Lust dazu, in Gnaden bewahrt. Denn wenn schon der Verkehr mit Redaktionen und Verlegern seine Fatalitäten hat, wie erst der Verkehr mit Bühnenleitern, Schauspielern und – Theateragenten. Da hört alles auf! Und so werde ich einen vor 40 Jahren angefangenen ›Karl Stuart‹ [1848/49] der Welt als einen Torso hinterlassen, wenn man das einen Torso nennen darf, was nie fertig war. Wundervoll haben Sie das Berliner Wesen charakterisirt. Das kann nur ein *Nicht*-Berliner. Wir stecken zu tief drin, um einen Überblick zu haben.«

Fontane: Briefe aus den Jahren 1856–1898. Hrsg. von Christian Andree. Berlin: Berliner Handpresse 1975. (Reihe Werkdruck.) S. 34

An seinen Sohn Theodor, 9. Mai 1888:

»Er [Otto Brahm], Schlenther und ein junger Max v. Waldberg (früher auch ein Zwangloser), dazu Schiff und Mauthner, haben sämtlich sehr ausführlich und sehr anerkennend über ›Irrungen, Wirrungen‹ geschrieben,[23] so daß ich ohne Übertreibung sagen kann: ich verdanke meine verbesserte Stellung oder doch mein momentanes Ansehn im Deutschen

22 Siehe die Besprechung von Waldbergs in Kap. III,1.

23 Siehe die Rezension von Brahm in Kap. III,1. Über Besprechungen von Schiff (1849–99) und Mauthner (1849–1923) war bisher nichts zu ermitteln. Im Jg. 1888 der »Neuen Freien Presse« (Wien), bei der Schiff als Berliner Korrespondent tätig war, findet sich keine Rezension über Fontanes Roman; bei Joachim Kühn: Gescheiterte Sprachkritik. Fritz Mauthners Leben und Werk, Berlin / New York: de Gruyter 1975, ist ebenfalls keine Rezension verzeichnet. Fontanes nächster Roman »Stine«, dessen Vorabdruck in der »Vossischen Zeitung« verweigert wurde, erschien aber in Mauthners neuer Wochenschrift »Deutschland« (Jg. 1, 1889/90).

Dichterwald zu größrem Teile den ›Zwanglosen‹. Die Jugend hat mich auf ihren Schild erhoben, ein Ereignis, das zu erleben ich nicht mehr erwartet hatte.«

B/W II,374 f.

An Paul Schlenther, 4. Juni 1888:

»Meine Hoffnungen auf Annahme [von ›Stine‹ zum Vorabdruck in der ›Vossischen Zeitung‹] – selbst wenn Ihre Empfehlung, was doch auch noch unsicher, der Arbeit zur Seite stehen sollte – sind sehr gering, aber alle Tage geschieht das Unwahrscheinlichste, und das Wahrscheinlichste läßt einen im Stich. Und so mögen denn die Würfel fallen. Schlimm ist es für mich, daß mir die sogenannten ›Familienblätter‹, in denen sub rosa[24] ganz anders geschweinigelt wird, verschlossen sind. Auch der Mut der relativ Kühnsten reicht dazu nicht aus. Schließen Sie aus diesen Worten aber nicht, daß ich in ›Stine‹ was ganz besonders Schreckliches biete. Bei Lichte besehn, ist es noch harmloser als ›Irrungen, Wirrungen‹, denn es kommt nicht einmal eine Landpartie mit Nachtquartier vor. Und darauf läuft doch die eigentliche Untat hinaus!«

B/W II,383

An Paul Schlenther, 22. Juni 1888:

»Mit dem Gelde stehe ich nicht so schlecht, daß ich das Honorar dringend bedürfte, und das Gefühl, daß der Welt durch den Nicht-Abdruck [von ›Stine] in der Vossin etwas Herrliches, ihr (der Welt) Wohltuendes vorenthalten würde – dies Gefühl habe ich erst recht nicht. Es gibt 10 oder, wenn es hoch kommt, 100 Menschen in Deutschland, die von der Erkenntnis und der freundlichen Gesinnung sind, die Männer wie Sie oder der kleine Brahm oder der liebenswürdige M. v. Waldberg solcher Arbeit entgegenbringen – das große Publikum, nun es ist nicht nötig, Worte darüber zu verlieren. Ich hätte wieder das sittliche Hallo mitanhören müssen, Familie Müller hätte sich wieder über ›Schneppengeschichten‹ beschwert,[25] und selbst bei Familie Lessing hät-

24 ›unter der Rose‹, dem Sinnbild der Verschwiegenheit.
25 Siehe die Einleitung zu Kap. III,1.

ten alle wohlwollenden Gesinnungen für mich nicht ausgereicht, mir ein Bedauern über den armen alten Mann, der sich sowenig der Pflicht seiner Jahre bewußt ist, zu ersparen. Und so mag es denn wohl sein. Schließlich werde ich es ja wohl noch irgendwem ›anschmieren‹ können, und was dann hinter meinem Rücken geredet wird, schadet nicht viel; nur bei der Vossin und Familie Lessing, wo persönliche Beziehungen existieren, steht es anders damit. Sie aber seien nochmals schönstens bedankt für Ihr treues Zu-mir-Stehn und – ich bitte das sagen zu dürfen – beglückwünscht für Ihr freies Drüberstehn. Denn daß der alte sogenannte Sittlichkeitsstandpunkt ganz dämlich, ganz antiquiert und vor allem ganz lügnerisch ist, *das* will ich wie Mortimer auf die Hostie beschwören.[26]«

B/W II,385 f.

Fontanes Tagebuch, 8. Juli bis 15. Juli 1888:

»Über ›Irrungen – Wirrungen‹ gingen mir drei hübsche Kritiken zu, eine (nur kurz) von Dr. Ad. Glaser in Westermann, eine von Dr. Rob. Hessen im D. Wochenblatt und eine dritte von Dr. Otto Pniower in Rodenbergs Deutscher Rundschau.[27] Alles in allem habe ich Ursach' diesmal mit der Kritik zufrieden zu sein; an die feindlichen Blätter muß man gar keine Exemplare einsenden.«

B/W II,375

An Otto Pniower, 4. September 1888:

»Ihre Besprechung zu lesen war mir eine große Freude, zunächst natürlich, weil man sich gern etwas Angenehmes sagen läßt. Aber ich darf hinzusetzen, auch deshalb, weil ich, losgelöst von meiner Person, über das Ganze hin so viel feine Bemerkungen ausgestreut finde, Bemerkungen, die den Kritiker von Beruf erkennen lassen. In *dieser* Beziehung wenigstens hat sich in unsrer Tagesliteratur vieles zum Beßren geändert, und Kritiker, wie wir deren jetzt ein halbes Dutzend haben (Namen will ich nicht nennen), existierten in meinen jungen Jahren entweder gar nicht oder gehörten

26 Anspielung auf Schillers »Maria Stuart« (I,6).
27 Siehe die Besprechungen von Glaser, Hessen und Pniower in Kap. III,1.

den Universitäts- und Wissenschaftskreisen an. In der Journalistik verwechselte man in grausamer Weise witzig sein und Kritiker sein. Ein jammervoller Standpunkt, der übrigens auch in Politik und Kirche galt. Jetzt ist Ernst in die Sache gekommen, und ein Streben nach Wahrheit ist da. Es beglückt mich, diesen Wechsel der Dinge noch erlebt zu haben.«

B/W II,375

An Wilhelm Hertz, 30. September 1888:

»Es giebt eine ganze Anzahl von Zeitungen, die, aus mir unerklärlichen Gründen [...] einen förmlichen Haß gegen mich haben und dieser Abneigung bei jeder Gelegenheit Ausdruck geben. Die besseren darunter beschränken sich auf Schweigen oder kolossale Nüchternheit, was weniger ärgerlich, aber für den Absatz eigentlich noch unvorteilhafter ist. An der Spitze stehen die conservativen Blätter: Kreuz-Ztng., Post (diese vor allem), Reichsbote, dann das Blatt, das Prof. Herbst bei Perthes herausgiebt [›Deutsches Litteraturblatt‹][28]; in Schweigen hüllen sich: Nordd: Allg., National-Ztg, Köln: Ztng., Berl. Tageblatt, D. Tageblatt, während der Börsen-Courier[29], trotz entgegengesetzten polit: Standpunktes, in seinen Angriffen mit der Post wetteifert. Von den Monatsschriften schweigt ›Nord und Süd‹[30], von den Wochenschriften ›Gartenlaube‹[31] (trotzdem Kröner mein Gönner ist) und Daheim. Es wäre nun mein herzlicher

28 Siehe die Rezension von Richard Bürkner in Kap. III,1.
29 Vgl. Gertrud Herding: »So glaubte z. B. der ›Berliner Börsen-Courier‹ in seiner Besprechung (4. Sept. 1887) über die Schilderung des Liebesverhältnisses zwischen Lene und Botho spotten zu müssen« (Theodor Fontane im Urteil der Presse, Diss. München 1945, S. 187). Herding nimmt Bezug auf Richard Sternfeld (Zu Theodor Fontanes Gedächtnis, in: Mitteilungen des Vereins für die Geschichte Berlins, 1919, Nr. 12, S. 8), der berichtet, der »Börsen-Courier« habe über einen Satz aus »Irrungen, Wirrungen« »billige Witze gemacht«. Es handelt sich also nicht um eine Besprechung, sondern wohl nur um eine Erwähnung, denn diese Zeitung brachte keine Buchbesprechungen. Allerdings läßt sich diese Erwähnung in der Nummer vom 4. 9. 1887 nicht finden.
30 Siehe Anm. 10 in Kap. III,1.
31 Vgl. Rudolf von Gottschalls (1823–1909) Gedenkartikel zu Fontanes 70. Geburtstag, der dem Vorabdruck des Romans »Quitt« in der »Gartenlaube« (Jg. 1890, Nr. 1, S. 6–8) vorangestellt war. Nach Gottschall ist Fontane in erster Linie ein volkstümlicher Balladendichter und »Vor dem Sturm« sein Hauptromanwerk. »Irrungen, Wirrungen« wird in dem Artikel überhaupt nicht erwähnt.

Wunsch, Sie ließen alle diese Blätter, oder doch fast alle [...] schießen und beschränkten sich auf Einsendung von Exemplaren [von ›Fünf Schlösser‹] an *solche* Blätter, die mir wohlwollen und mir dies durch 20 Jahre hin bewiesen haben. [...] Ich bin, bei meinem letzten Roman [›Irrungen, Wirrungen‹], nach diesem Prinzip verfahren und habe es auf diese Weise durchgesetzt, daß ich, mit einer einzigen Ausnahme – wo der Verleger [Steffens], gegen meinen Rath, an ein *ihm* bekanntes und sympathisches Blatt geschickt hatte[32] – nur mir wohlthuende Kritiken zu lesen, in der Lage gewesen bin. Es waren Kritiken in den besten Blättern Deutschlands und von unsren besten kritischen Köpfen geschrieben.«

B/W I,797

An Maximilian Harden, 24. Dezember 1888[33]:

»Ihre Besprechung meines Buches (Irrungen, Wirrungen) ist so ziemlich das Liebenswürdigste, was über mich gesagt worden ist, und altmodisch in vielem, bin ich's auch darin, daß mir das persönlich Liebenswürdige noch mehr gilt als das dreimal unterstrichene Lob, als die schmeichelhafteste Anerkennung, an der es Ihre Güte ja auch nicht hat fehlen lassen. Nochmals besten Dank.«

B/W II,376 f.

An Wilhelm Hertz, 3. Dezember 1889:

»Die Meisten stoßen bei dem Diener, den sie machen [d. h. bei den Würdigungen zu Fontanes 70. Geburtstag], drei andre um. [...] Andre werden mich in eine schiefe Stellung zu Lindau hineinschreiben und ›Irrungen, Wirrungen‹ als der Weisheit letzten Schluß auf dem Gebiete des Berliner Romans ausposaunen. Ich wollte, es wäre Schlafenszeit, d. h. der 4. Januar 90 [Fontanes 70. Geburtstagsfeier] vorüber.«

Briefe an Hertz, S. 322 f.

32 Bisher nicht zu ermitteln.

33 Da es sich hier vermutlich um die bevorstehende Veröffentlichung von Hardens Geburtstagsartikel am 28. Dezember 1889 handelt (vgl. Kap. III,1), müßte dieser Brief vom 24. Dezember 1889, nicht 1888, sein.

An Theodor Wolff, 28. April 1890:

»Ja, das ist eine kitzlige Sache – so ganz genau weiß ich es selber nicht. Schuld an diesem Nichtwissen ist, daß ich meine Geschichten oft jahrelang lagern lasse, was mit den Zwischenschüben, die nun eintreten, allein schon ausreicht, Unsicherheiten zu schaffen. [...] Ich glaube, daß es *so* hergegangen ist. Schon Anfang der achtziger Jahre habe ich die ersten Kapitel von ›Irrungen, Wirrungen‹ geschrieben, aber nur bis zu der Stelle, wo Botho zum Abendbesuch kommt und getanzt wird, während der alte Dörr das Kaffeebrett schlägt [Kap. 4]. Dann kamen jahrelang ganz andere Arbeiten, und etwa 1885 schrieb ich ›Stine‹ bis zu dem Hauptkapitel, wo der alte Graf und die Pittelkow in dem ›Untätchen‹-Gespräch aufeinanderplatzen.
Dann wieder ganz andere Arbeiten, bis ich, etwa ausgangs 1886, ›Irrungen, Wirrungen‹ fertig schrieb und dann – mit abermaligem starkem Zwischenschub – etwa 1888 ›Stine‹ fertig machte.
Diese vielen Pausen und Zwischenschiebereien sind schuld, daß sich manches wiederholt. Am deutlichsten tritt dies bei den Ulkereien mit den Namensgebungen hervor. Sarastro, Papageno, Königin der Nacht, das war, glaub ich, ein ganz guter Einfall, den wir auf 1885 oder vielleicht etwas früher festsetzen können. Als ich nun ausgangs 1886, also nach mehr als anderthalb Jahren, wieder ›Irrungen, Wirrungen‹ aufnahm und fertig machte, hatte ich meinen Sarastro usw. ganz vergessen und machte nun den Witz noch mal, indem ich der ganzen Demimondegesellschaft die Namen aus Schillers ›Jungfrau‹ gab. Hätte ich den Sarastro noch im Gedächtnis gehabt, so hätte ich das vermieden. Und so ist es mit vielen andern Einzelheiten. Es ließ sich aber nicht mehr herausschaffen.«

B/W II,390

An Theodor Wolff, 24. Mai 1890:

»Heute abend erst bringt mir mein Sohn Ihre schon vor 4 Tagen erschienene, überaus freundliche Besprechung meiner ›Stine‹ [im ›Berliner Tageblatt‹ vom 20. Mai 1890]. Ich eile nun, Ihnen zu danken. Es ist gewiß alles so, wie Sie sagen: es ist so hinsichtlich der Mischung von Romantischem und Realistischem, und es ist so hinsichtlich der Parallele zwischen Lene und Stine. Lene ist berlinischer, gesünder, sympathischer und schließlich auch die besser gezeichnete Figur. Auf die Frage ›Lene‹ oder ›Stine‹ hin angesehen, kann Stine nicht bestehen, darüber habe ich mir selber keine Illusionen gemacht, das Beiwerk aber – mir die Hauptsache – hat in ›Stine‹ vielleicht noch mehr Kolorit. Mir sind die Pittelkow und der alte Graf die Hauptpersonen, und ihre Porträtierung war mir wichtiger als die Geschichte. Das soll gewiß nicht sein, und der eigentliche Fabulist muß der Erzählung als solcher gerechter werden, aber das steckt nun mal nicht in mir; in meinen ganzen Schreibereien suche ich mich mit den sogenannten Hauptsachen immer schnell abzufinden, um bei den Nebensachen liebevoll, vielleicht *zu* liebevoll, verweilen zu können. Große Geschichten interessieren mich in der Geschichte; sonst ist mir das Kleinste das Liebste. Daraus entstehen Vorzüge, aber auch erhebliche Mängel, und diese so nachsichtig berührt zu haben, dafür Ihnen nochmals schönsten Dank.«

B/W II,391 f.

An seinen Sohn Friedrich, 8. Juli 1890:

»Sei so gut, wo möglich umgehend, mir ein gebundenes Exemplar von ›Irrungen, Wirrungen‹ zu schicken, ich will es einer sehr netten, in Paris lebenden Dame, Frau Banquier Oppenheimer[34], überreichen.«

B/W II,377

An seinen Sohn Friedrich, 11. Juli 1890:

»Habe Dank für das Buch, das ich gleich an Madame Henri Oppenheimer gelangen ließ; vielleicht sorgt sie bei ihrer Rückkehr für Verbreitung in Paris. Viel deutsche Konkurrenz würde ich daselbst nicht zu besiegen haben; denn ich glaube nicht, daß deutsche Novellisten – mit Ausnahme von G. Keller[35] und Sacher-Masoch[36] – in Paris gelesen werden.«

B/W II,377

34 Über eine ›Frau Banquier Henri Oppenheimer‹ war bisher nichts zu ermitteln. Im 20. Kap. von »Irrungen, Wirrungen« wird ein Bankier Oppenheim erwähnt.

An Georg Friedlaender, 1. August 1894:

»Einen Beleg für die Mißlichkeit menschlichen Urtheils hat mir in diesen Tagen auch wieder ein persönliches Erlebniß gegeben. In den ›*Velhagen & Klasingschen* Monatsheften‹ ist ein ziemlich langer Artikel über mich erschienen, [...] Verf. des Artikels mein Freund und Gönner Theodor Hermann Pantenius.[37]
[...] meine Berliner Romane, so wahr und zeitbildlich sie seien, seien mehr oder weniger unerquicklich, weil die darin geschilderten Personen und Zustände mehr oder weniger *häßlich* seien. Ich halte dies alles für grundfalsch; [...] Rienäcker und Lene mögen dem einen oder andern nicht gefallen, aber sie sind nicht ›häßlich‹, ganz im Gegentheil, ich glaube sie sind anmuthend, herzgewinnend. Und das alles schreibt ein Mann, der sehr klug ist, selber sehr ausgezeichnete Romane geschrieben hat und es sehr gut mit mir meint. Wenn man dergleichen beständig erlebt, so wird man ängstlich und gelangt, als Letztes, zu dem Berolinismus: ›was soll der Unsinn!‹«

B/W II,378

35 Vgl. aber Louis Paul Betz' Bericht über die öffentliche Verteidigung von Fernand Baldenspergers Dissertation »Gottfried Keller. Sa vie et ses œuvres« (1899): »Man kann [...] behaupten, daß ein paar Dutzend hochgebildeter Franzosen vor dem Erscheinen von Baldensperger's Buche etwas von G. Keller wußten [...]« (Studien zur vergleichenden Litteraturgeschichte der neueren Zeit, Frankfurt a. M.: Rütten & Loening 1902, S. 242).
36 Leopold von Sacher-Masoch (1836–95) gab mit seinen Erzählungen einer Richtung sexuell-pathologischer Literatur Muster und Namen.
37 Siehe den Artikel von Pantenius in Kap. III,1.

# III. Dokumente zur Wirkungsgeschichte

## *1. Die zeitgenössische Kritik*

Die Veröffentlichung von »Irrungen, Wirrungen« stellt den ersten Höhepunkt und zugleich die erste große Krise in der zeitgenössischen Rezeption von Fontanes Romanen (1878 bis 1898) dar: »Keines seiner Werke hatte bisher so eingeschlagen. Zum ersten Male war die Lebenslüge der herrschenden Gesellschaft bis ins Mark getroffen und durchschaut, entlarvt mit einer poetischen Eindringlichkeit und Überzeugungskraft, wie sie der deutsche Roman zuvor nicht gekannt hatte« (Hans-Heinrich Reuter: Fontane, Berlin/München 1968, Bd. 2, S. 669). Die sittliche Entrüstung des Lesepublikums über den Vorabdruck (1887) des Romans in der »Vossischen Zeitung« ist bekannt, zusammengefaßt in der von Carl Wandrey (Theodor Fontane, München 1919, S. 213) überlieferten Frage eines Mitinhabers (vermutlich Familie Müller) an den Chefredakteur Friedrich Stephany: »Wird denn die gräßliche Hurengeschichte nicht bald aufhören?« (Vgl. Fontanes Brief an Paul Schlenther vom 22. 6. 1888, im Kap. II.) Die zeitgenössischen moralischen Verdikte kommen aus zwei verschiedenen Lagern und sind unterschiedlich motiviert: »Das Bürgertum empörte sich über den Roman [...] allein aufgrund der Tatsache des ›freien‹ Liebesverhältnisses, der Adel hingegen reagierte einzig empfindlich auf das Faktum der ›Mésalliance‹« (Carin Liesenhoff: Fontane und das literarische Leben seiner Zeit. Eine literatursoziologische Studie, Bonn 1976, S. 69).
Die zeitgenössischen Kritiker nehmen kritisch wie auch affirmativ Stellung zur Aufnahme des Romans in der Öffentlichkeit. Über die zeitgenössische Kritik stellt Jürgen Jahn fest: »Wechselweise wird der Dichter von den entgegengesetztesten literarischen Gruppierungen in Anspruch genommen oder negiert, er wird als Konservativer, als Traditionalist verstanden oder bekämpft, als Modernist, ja als vermeintlicher Naturalist verehrt oder abgelehnt. [...] Der Beginn dieser Fontane-Rezeption, einer Kette von Mißverständnissen, liegt bereits bei Schlenther und setzt sich in den Stellungnahmen der unmittelbar folgenden Zeit fort«, mit

der Nebenbemerkung: »(Woraus auch das scheinbare Paradoxon resultiert, daß der Gesellschaftskritiker Fontane, nicht der Sittenrichter, zuerst von seinen Feinden und nicht von seinen Freunden und Verteidigern erkannt worden ist)« (Aufbau-Ausgabe, V,551). Die Kritiker, die Fontane als Gesellschaftskritiker erkannt haben, können allerdings nicht eindeutig als »Feinde« bezeichnet werden.
Jahns Dokumentation bzw. Darstellung (S. 543–558) wird hier durch bisher unbekannte oder neuaufgefundene Rezensionen ergänzt, darunter zwei, die vor Schlenthers Rezension erschienen sind, sowie zwei weitere Beiträge zur »pro-Fontaneschen Kritikoffensive« (Fricke) der von Hans Adolf Hertz, Paul Schlenther und Paul Meyer im Jahre 1884 gegründeten Zwanglosen Gesellschaft (zur Geschichte dieses Vereins vgl. Frederick Betz: Die Zwanglose Gesellschaft zu Berlin. Ein Freundeskreis um Theodor Fontane, in: Jahrbuch für brandenburgische Landesgeschichte, Bd. 27, 1976, S. 86–104). Die Vermittlerrolle der Zwanglosen verdient Beachtung, denn es war, wie Jahn vermerkt (S. 548), tatsächlich diesem Kreis zu verdanken, daß der Buchausgabe (1888) von »Irrungen, Wirrungen« eine bessere Kritik zuteil wurde, als Fontane erwartete (vgl. seinen Brief vom 9. 5. 1888 an seinen Sohn Theodor, der übrigens auch ein Gründungsmitglied der Zwanglosen Gesellschaft war, im Kap. II).
Bis auf einige Kurzrezensionen wurden die folgenden Texte gekürzt und bearbeitet. Bloße Inhaltswiedergaben wurden ausgelassen; sonst hängt die Abkürzung einer Rezension von ihrer kritischen Bedeutung ab. Dabei wurde versucht, bisher unbekannte Rezensionen so vollständig wie möglich wiederzugeben. Die Orthographie der Texte wurde nicht normalisiert, sondern (bis auf einige Druckfehler) entsprechend den Vorlagen wiedergegeben; alle Kursive entsprechen ebenfalls dem Original.

Am 3. März 1888 erschien in der »Beilage zur Allgemeinen Zeitung« (München) eine Rezension von dem Kunsthistoriker Wilhelm Lübke (1826–93), der seit 1861 Professor in Zürich, dann in Stuttgart und Karlsruhe, und früher auch Mitglied des literarischen Klubs »Ellora« (gegr. 1852) um Fontane war. Lübke hat sich um die Aufnahme von Fontanes Romanen (bes. »Vor dem Sturm«, 1878) in Süddeutsch-

land bemüht (vgl. bes. »Theodor Fontane als Erzähler«, in: Augsburger Allgemeine Zeitung, 16./17. 6. 1887).
Der erste Teil von Lübkes Rezension ist dem neuesten Buch der österreichischen Dichterin Marie von Ebner-Eschenbach (1830–1916), dem Entwicklungsroman »Das Gemeindekind«, gewidmet. Lübke stellt dieses Werk dem krassen Naturalismus Zolas[1] mehrmals gegenüber und beurteilt es schließlich als »ein Buch von so hoher sittlicher Macht, so lebensvoller Wahrheit, so reiner Schönheit, wie wir wenige in unserer neueren Literatur besitzen«.
Im zweiten Teil seiner Rezension wendet sich Lübke Fontanes »Irrungen, Wirrungen« zu: »Man kann sich kaum größere Gegensätze denken, als zwischen dem eben besprochenen Buche und der neuesten Arbeit Fontane's hervortreten. Und doch haben wir es auch hier mit der Schöpfung eines echten Dichters zu thun, der Alles, was er berührt, mit seinem Geiste verklärt und mit Poesie umwebt. Aber während wir dort einen Ausnahmsfall psychologischer Entwicklung verfolgten, handelt es sich hier um etwas Gewöhnliches und Alltägliches, das nur deßhalb ein Bürgerrecht im Reich der Poesie erhält, weil der Dichter uns für die alltäglichen Verhältnisse und die keineswegs ungewöhnlichen Personen aufs lebhafteste zu interessiren weiß.«
Lübke befaßt sich ausführlich mit den Hauptgestalten der Geschichte: »Baron Botho ist so recht der Typus eines liebenswürdigen, warmherzigen, natürlichen jungen Adeligen, wie die Mark Brandenburg sie recht oft erzeugt. Daß er sich von einem so einfachen Kinde, wie Lene ist, fesseln läßt, können wir ihm nachfühlen, denn der Dichter hat diese Mädchengestalt mit dem vollen Reiz nicht bloß jugendlicher Anmuth, sondern auch schlichter Wahrheit, Natürlichkeit und charactervoller Festigkeit ausgestattet. Sie gehört ohne Frage zu den anziehendsten weiblichen Gestalten, die er geschaffen hat. [...] Keinen Augenblick ist sie im Zweifel, daß dieses Glück nur ein vorübergehendes sein kann, ohne irgendeinen Anspruch auf Dauer. [...] Botho ist eben auch keine von den leidenschaftlichen Naturen, die ihre ganze

1 Émile Zola (1840–1902) ist der bedeutendste Vertreter des Naturalismus in Frankreich. In seinem Romanzyklus »Les Rougon Macquart« (1871–93) behandelt er die Sozialgeschichte einer verfallenden Familie im Zweiten Kaiserreich.

Existenz für eine Empfindung einsetzen; er ist vielmehr weich und nachgiebig, vor allen Dingen aber ist er ehrlich und offen, und nicht einmal der leise Versuch einer Lüge oder einer Verschleierung trübt das reine Verhältniß.«
Über die Menschendarstellung im Roman führt Lübke weiter aus: »Wie die Menschen der Mark, vor allem die Berliner, denken, fühlen und sprechen, das ist hier mit so unvergleichlicher Wahrheit wiedergegeben, daß es ein Hochgenuß für jeden Leser sein muß. [...] Es ist derselbe Strom einer tief eindringenden und liebevollen Beobachtung, welcher in breiterem Flusse auch in Fontane's meisterhaften Roman ›Vor dem Sturm‹ so prächtig ergießt. Und das gilt nicht bloß von den Menschen aus dem Volk und dem niederen Bürgerstande, sondern mit derselben Treue sind die ritterlichen Cameraden Baron Botho's, ist der stets frondirende Onkel vom Lande, der Typus eines Kreuzzeitungsjunkers, sind ferner die überlustigen ›Freundinnen‹ der jungen Officiere geschildert. Ein Prachtstück aber ist Käthe, die junge hübsche Frau des Helden, in ihrer gränzenlosen oberflächlichen Schwatzhaftigkeit mit dem unerschöpflichen Talent, ›auf angenehmste Weise nichts zu sagen‹ und dabei doch in ihrer Art liebenswürdig. Aber man begreift, daß Botho doch an der Seite dieses munteren Plappermäulchens manchmal eine stille Sehnsucht nach der seelenvollen Wärme und dem stillen Ernst seiner Lene überkommt.«
»Nicht minder treffend« ist für Lübke »die Schilderung der Berliner Landschaft« sowie der Landpartie nach Hankels Ablage, und die Spree-Landschaften vergleicht er (als Kunsthistoriker) mit den »herrliche[n] Landschaften im Stil der alten Holländer[2]«.

W. L. [Wilhelm Lübke]: Neues von deutschen Erzählern. In: Beilage zur Allgemeinen Zeitung, Nr. 63 vom 3. März 1888, S. 929 f.

Am 24. März 1888 brachte »Das Magazin für die Litteratur des In- und Auslandes« (Leipzig) folgende Notiz:

»Der Roman, der bei seinem Erscheinen in der Presse so allgemeines Aufsehen erregte, liegt jetzt in der Buchausgabe

2 Vgl. hierzu im allg. Peter Demetz: Defenses of Dutch Painting and the Theory of the Realistic Novel, in: Comparative Literature, Bd. 15 (1963) S. 97–115.

[vor] und zeigt aufs neue die sattsam bekannten hervorragenden Eigenschaften Fontanes als Erzähler. Der anheimelnde Ton der Fontaneschen Schreibweise bewirkt es, daß sich der Leser sofort wohl fühlt und nur ungern von dem Buche scheidet. Wir empfehlen des Dichters jüngste Schöpfung unsern Lesern aufs beste.«

Jg. 57, Nr. 13, S. 200

Diese Notiz ist insofern von Bedeutung, als sie in der letzten Nummer dieser Zeitschrift erschien, die Carl Bleibtreu (1859–1928), einer der Vorkämpfer des deutschen Naturalismus, herausgab. Bleibtreu, Verfasser der Kampfschrift »Revolution der Litteratur« (Leipzig 1886), in der Fontane, trotz »eine[r] gewisse[n]Nüchternheit und Kälte« sowie »ein[es] leise[n] Beigeschmack[s] Altberlinischer Frivolität« in seinen Romanen, als »hervorragender Realist« genannt wird ([3]1887, neu hrsg. von Johannes J. Braakenburg, Tübingen: Niemeyer 1973, S. 38), hat Fontanes Berliner Romane (u. a. »Irrungen, Wirrungen«) später als »dürftig in Motiven und Erfindung, handlungs- und phantasiearm«, dafür aber voll von »anheimelndem Zauber abgeklärter Ruhe und Weltweisheit« und »reich an prächtigen Beobachtungen« und »ungesuchtem Humor« bezeichnet. An gleicher Stelle charakterisierte Bleibtreu den Autor Fontane mit der schon längst in der Forschung widerlegten Formulierung: »Eiskalt in sich zurückgezogen, sprühte er nach außen gewinnende Liebenswürdigkeit« (Geschichte der Deutschen National-Literatur von Goethes Tod bis zur Gegenwart, Berlin 1912, Bd. 2, S. 37).

Am 1. April 1888 veröffentlichte Paul Schlenther (1854–1916) eine Rezension in der »Vossischen Zeitung«, in derselben Zeitung also, in der Fontanes Roman im vorigen Jahr im Vorabdruck erschienen war. »Dieses öffentliche Eintreten für das Werk und seinen Verfasser war«, wie Jürgen Jahn bemerkt, »mehr als eine bloße Gefälligkeit, es erforderte persönlichen Mut« (Aufbau-Ausgabe, V,550). Dabei ist es interessant zu bemerken, daß diese Rezension anonym erschien (vgl. hierzu Fontanes Dankesbrief an Schlenther vom 1. 4. 1888, im Kap. II). Schlenther, ein Vorkämpfer des deutschen Naturalismus und Mitbegründer des

Berliner Vereins Freie Bühne (1889), wurde nach Fontanes Ausscheiden (1889) Theaterkritiker der »Vossischen Zeitung«.
Schlenther verteidigt Botho und Lene zunächst als »Naturen«, die »für einander geschaffen« seien, »nicht bloß für einen kurzen Sommer, sondern für ein langes Leben«. Für Schlenther ist Botho »auch ein Aristokrat des Herzens«, denn er könne sich »frei und zart« im »Volkskreise« Lenes bewegen. In diesem »Volksmädchen« Lene aber erkennt Schlenther »ein demokratisches Selbstgefühl, das sie still und bescheiden in sich birgt, aber das sich gebietend aufrichten würde, wenn man unwürdige Ansprüche an ihre Unterwürfigkeit stellte«. Aber »den inneren persönlichen Bedingungen fehlt das notwendige Correlat der äußeren sozialen Bedingungen«, und: »Botho muß erst durch Überlegung einsehen, Lene aber weiß es vom Gefühl aus, daß die allgemeine, bestehende Lebensordnung mit ihren Standeseinteilungen, ihren sittlichen Satzungen, ihren Forderungen an die Opferwilligkeit und Unterwerfung des Einzelnen höher steht, als das Innenleben des Einzelnen.« Schlenther unterscheidet Lene ausdrücklich »von freien norwegischen Frauen [in Ibsens Dramen], welche das Recht ihrer freien Persönlichkeit gegenüber der Macht der Verhältnisse als das Höhere und Adlige behaupten«. Der Rezensent erinnert den Leser aber auch daran, daß Lene wesentlich anders als »Melanie Rubehn, geschiedene Kommerzienrätin Vanderstraaten« denke, und fügt hinzu: »Wenn man bedenkt, daß der Verfasser von ›Irrungen, Wirrungen‹ zugleich Verfasser von ›L'Adultera‹ ist, so bleibt man nicht geneigt, die Grundsätze, nach denen Lene und Botho verfahren, auf eine bestimmte und dauernde Lebensanschauung des Dichters zurückzuführen.« Schlenther stellt eine Verwandtschaft zwischen Fontanes Persönlichkeit und vielen seiner Gestalten fest (Botho sei z. B. »weniger ein Gardelieutenant heutigen Datums, als vielmehr einer jener liebenswürdigen Kameraden, mit denen Fontane, wie er selbst einmal erzählte, vor 40 Jahren in der Kaserne Scherenberg'sche Poesie gelesen hat, mit denen er die geistigen Ideale seiner Jugend teilte«[3]) und findet in dem Ro-

3 Vgl. Fontane: Christian Friedrich Scherenberg und das literarische Berlin von 1840–1860 (Berlin: Hertz 1885), Kap. 7.

man »eines der schönsten Beispiele [...] für die künstlerische Möglichkeit, daß Typisches und Individuelles, Subjektivität des Autors und Objektivität seines Werks sich unter Ausgleich aller Gegensätze zu einer höheren Einheit verbinden«. Schlenther warnt aber auch vor einer allzu genauen »Identifizierung des Dichters mit seinem Werk«, und: »Darum komme Niemand, der ihm einen Vorwurf daraus mache, daß er menschenfreundliches Verständniß auch für solche Gotteskreaturen [Schlenther bezieht sich auf die ›Damen‹ von Bothos Kameraden in Hankels Ablage] hat, die er zugleich mit überlegener Laune und doch mit herzlicher Teilnahme sieht und wiedergibt.« Schlenther weist »Vorwürfe solcher Art« zurück: »Ist es nicht genug, wenn ein Stück vom Alltagsleben in reiner künstlerischer Form von bezaubernder Zartheit und vollkommener Harmonie so derb und tüchtig sich darstellt, als erlebten wir es? Ist es ein Frevel, anstelle von Romanschatten, wandelnder Probleme, psychologischer Rechenexempel leibhaftige Menschen zu gestalten, deren Herzschlag wir hören, wenn ihnen ein Schicksal auf die Brust fällt?« Schlenther hebt zum Schluß den kulturhistorischen Wert des Romans hervor: »Man wird fragen, wie lebten, sprachen und dachten die Berliner gegen Ende des 19. Jahrhunderts? [...] Hier leset, und dann wißt ihr, wie sich's damals lebte: Sie entsagten, weil sie mußten, aber sie gingen nicht in den Brunnen, sondern lebten weiter ihrer Pflicht [...].« Schlenther hält Fontane letzten Endes für konservativ und versucht, die Leser der »Vossischen Zeitung« davon zu überzeugen: »Auf ein Glück verzichten zu können, um des Anspruchs willen, den das Allgemeine an das Besondere erheben muß, damit die bestehende Weltordnung im Gefüge bleibt – das ist die große ethische Tendenz, die aus den Vorgängen dieser Berliner ›Alltagsgeschichte‹ und ihrer realistischen Symbolik hervorleuchtet.«

Anonym [Paul Schlenther]: Journal- und Bücherschau. In: Vossische Zeitung, 1. Beilage [Sonntag], Nr. 158 vom 1. April 1888

Die Berliner »Deutsche Litteraturzeitung« brachte am 7. April 1888 eine Kurzrezension von dem Literaturhistoriker und Heidelberger Universitätsprofessor (1889–1933) Max von Waldberg (1858–1938). Waldberg war bei seinen Berliner Besuchen häufiger Gast der Zwanglosen Gesellschaft. Der Herausgeber der »Deutschen Litteraturzeitung«, August Fresenius (1850–?), gehörte dieser Gesellschaft seit 1884 an.

»Ein echter Berliner Roman, wenn er auch nicht marktschreierisch diese Etiquette trägt. Alle, gewöhnlich pomphaft angekündigten Versuche, eine reichshauptstädtische Erzählungslitteratur zu schaffen, sind, trotzdem oft redlich Bemühn, ja Talent Pate dabei standen, nicht voll gelungen. Die Zolajünger haben von ihrem Propheten zumeist nur den Mantel, nicht aber den Geist geschenkt erhalten, und die Anderen haben deutsche Nirgendheimromane mit etwas Berlinerblau übertüncht geliefert. Fontane dagegen weiß mit wahrhaft bedeutender Kraft jenes schwer definierbare Berliner Wesen, das sich aus innerer Tüchtigkeit, rücksichtslosem Spott, Sentimentalität, Selbstbewußtsein und einem – unnennbaren Etwas zusammensetzt, in allen Abstufungen und individuellen Schattierungen zu veranschaulichen und durch kaum sichtbare, aber unzerreißbare Fäden den festen Zusammenhang zwischen Charakter, Handlung und Ort der Handlung herzustellen. Die Personen atmen alle gute Berliner Luft, die allerdings ebensowenig ausschließlich mit Parfüm aus Berlin W. als mit Rieselfelddüften gesättigt sein darf. – Das alte Lied ›Viel Freud, viel Leid. Irrungen, Wirrungen‹ wird auch hier gesungen. An einer fast unbedeutenden Handlung wird das Gebrechliche unserer gesellschaftlichen Einrichtungen gezeigt, und trotzdem wird sich jeder Leser wahrhaft erhoben fühlen. Eine Episode – in Hankels Ablage – ist mit ihrer anspruchslosen, aber entzückenden Naturschilderung, mit den scharf umrissenen Frauenfiguren von einer geradezu großartigen naiven Wahrheit. Namentlich steckt in der Art, wie F. das Nebensächliche, aber Bezeichnende sorgsam behandelt ohne es in den Vordergrund zu rücken, eine große Meisterschaft, und in anscheinend unbedeutenden Zügen offenbart er eine Kunstweisheit, von der sich wenige deutsche Erzähler der Neuzeit etwas träumen lassen. Der Dialog ist so lebendig, daß man sich wundern darf, F. noch nicht auf der Bühne begegnet zu sein. – Ich hoffe an anderer Stelle den Beweis für diese Behauptung antreten, die Perlenschnüre trefflicher Einzelheiten eingehend würdigen zu können.[4] Mit Beziehung auf seine Mitbewerber gilt für F., was die Franzosen über den populären Voiture[5] und den schwer zur Anerkennung gelangten Balzac[6] geäußert haben: ›Ersteren lobt man vielleicht gerne, den Anderen wird man zu loben gezwungen sein.‹«

Max von Waldberg: Schöne Litteratur. In: Deutsche Litteraturzeitung, Jg. 9, Nr. 14 vom 7. April 1888, S. 534 f.

Im »Deutschen Litteraturblatt« (Gotha) erschien am 7. April 1888 eine Rezension von Richard Bürkner (1856 bis 1913), der Pfarrer in Berka an der Ilm (heute: Bad Berka) bei Weimar war. Nach einer Inhaltswiedergabe, in der er über Bothos Leichtlebigkeit und Lenes Tugend etwas spottet, übt Bürkner Kritik an »Irrungen, Wirrungen« als Berliner Roman (vor allem am Berliner Sittenbild und Dialekt) sowie als Kunstwerk:

»Das ist die schlichte Geschichte, die äußerst einfach ohne spannende Entwicklung, ohne Katastrophen, ja ohne eigentlichen Abschluß verläuft und erst durch zahlreiche eingestreute Episoden und episodische Figuren an Leben und Interesse gewinnt. Die Geschichte ist sogar so einfach, daß man nicht recht einsieht, warum sie den etwas hochtönenden Titel trägt, der wenn nicht größere Irrungen so doch bedeutsamere Wirrungen erwarten läßt. Jedenfalls hätte man eine Entwirrung zu schauen gewünscht. Die aber bietet der Dichter nicht. Beide Helden des Romans werden in alle Zukunft verworrene Gefühle hegen, wenn sie sich nicht gänzlich ändern, wozu wenig Aussicht vorhanden ist. Das Ende des Romans bringt keinen Schluß der Geschichte. Seine litterarische Bedeutung erhält derselbe durch Lokalfärbung; es ist ein Berliner Roman, wie sie jetzt in die Mode gekommen sind, ein Sittenbild aus der Reichshauptstadt, das derselben nicht sonderlich zur Ehre gereicht. Aber das haben

4 Nicht ermittelt.
5 Vincent Voiture (1589–1648). Mit seinen postum veröffentlichten Briefen hat er die Anmut und Präzision der modernen französischen Prosa mitbegründet. Voiture schrieb auch galante Gedichte.
6 Honoré de Balzac (1799–1850) gilt als der Begründer der wissenschaftlichen Methode in der Dichtung, als Vorläufer von Flaubert und Zola, vgl. Balzacs »Avant-Propos« (1842) zu »La Comédie Humaine«.

diese Art Romane jetzt alle an sich; wollte man ihnen durchweg Glauben schenken, dann wäre Berlin das sündhafteste Babel, das man sich nur denken könnte. Im gewissen Sinne ist der Roman also echt realistisch. Er schildert das Berliner Leben in den Kreisen der oberen Zehntausend wie in denen des Kleinbürgertums mit photographischer Treue und mit verblüffender, manchmal auch recht häßlicher Deutlichkeit. Ganz vortrefflich wird so das Häuschen vor dem Thore mit dem Treiben der Gärtnersfamilie und der Waschfrau geschildert, ebenso das Leben der vornehmen Welt in Clubs und Gasthäusern. Fontane braucht nur ganz wenig kräftige Striche, um eine Person lebensvoll und ›sprechend ähnlich‹ vor uns hinzustellen; in solcher knappen Charakterisierungs- und Darstellungskunst ist er ein Meister. Ob dazu aber erforderlich war, daß diese Berliner Kinder auch echt ›berlinisch‹ sprechen mußten, steht doch dahin. Es ist eine überaus fatale Art von Jargon, der sich da in den Spalten des Romans breit macht und gedruckt einen geradezu trivialen und läppischen Eindruck hinterläßt. Aber zur Trivialität führt ja nur allzuleicht dieses moderne Streben nach realistischer ›Wahrheit‹ oder besser Wirklichkeit! Daß es bei Fontane auch nicht an wirklicher echter Poesie gebricht, versteht sich von selbst. Wo er die Umgegend Berlins schildert und landschaftliche Stimmungsbilder mit der Kraft des sinnigen Dichters und mit der warmen Liebe zur märkischen Heimat entwirft, da erhebt sich sein Roman weit über die Grundlinie des Gewöhnlichen. Leider aber eigentlich nur da, denn sonst ist über den Roman als Kunstwerk an sich wenig Rühmliches zu sagen. Er zerfällt in einzelne Episoden, die in allen ihren Einzelheiten breit ausgesponnen, die Beziehung zum Ganzen des öfteren vermissen lassen. Der Stoff war doch wohl zu gering, um einen Roman von Bedeutung daraus zu wirken. Man wird seine Tendenz nicht anders als ernst nennen können; aber schließlich ist eben ein Berliner Sittenbild daraus geworden und keins, das gerade an den Familientisch des Hauses paßt – wie das ja leider bei dieser Art von Berliner Romanen neuerdings immer mehr die Regel wird.«

Richard Bürkner: Schöne Litteratur. In: Deutsches Litteraturblatt, Jg. 11, Nr. 3 vom 7. April 1888

Im »Feuilleton der Deutschen Roman-Zeitung« (Berlin) erschien eine Kurznotiz von Otto von Leixner (1847 bis 1907), der seit 1883 Redakteur dieser Lesezirkelzeitschrift war und der die »Tendenzdichtung« der »Jüngstdeutschen« sowie den »Materialismus« und »Anarchismus« der Sozialdemokratie bekämpfte (vgl. seine »Sozialen Briefe aus Berlin. Mit besonderer Berücksichtigung der sozialdemokratischen Strömungen«, Berlin: Pfeilstücker 1894).

»Unter allen Erzählungen, welche der Verfasser bis heute geschrieben hat, steht mir diese am höchsten. Wer nicht das Alter Fontane's kennt, wird es aus dieser Geschichte kaum erschließen: so viel Frische, klarer Blick, so viel Wirklichkeitssinn verrät sie. Jene jüngeren Berliner Schriftsteller, welche sich für die von Gott bestallten Verfasser der ›Berliner Romane‹ halten, könnten hier lernen, wie man einen Stoff bis ins Kleinste mit Berliner Geist belebt, ohne dabei zu vergessen, daß man Künstler ist. Das ist Realismus, aber eben zugleich Kunst, und niemals grober Abklatsch der Wirklichkeit. Für junge Mädchen ist das Buch nicht bestimmt, aber feines Empfinden reifer Menschen wird dadurch niemals verletzt.«

O. v. L. [Otto von Leixner]: Neue Unterhaltungsschriften. In: Deutsche Roman-Zeitung, Jg. 25, Bd. 3 (1887/88) S. 142

Am 20. April 1888 veröffentlichte Otto Brahm (1856 bis 1912) eine umfangreiche Rezension in der »Frankfurter Zeitung«. Brahm war Kritiker (aus der positivistischen ›Scherer-Schule‹), Vorkämpfer für die naturalistische Bewegung, Mitbegründer und Leiter des Vereins Freie Bühne und der gleichnamigen Bühne sowie Gründungsmitglied der Berliner Zwanglosen Gesellschaft.
In seiner Rezension, die nach Jürgen Jahn (Aufbau-Ausgabe, V,551) den Namen einer Studie verdient, knüpft Brahm an den literarischen Streit um Ibsens »Gespenster« (Berliner Erstaufführung am 9. 1. 1887) an und arbeitet den Zusammenhang zwischen Fontanes Theaterkritik (vom 13. 1. 1887 in der »Vossischen Zeitung«)[7] und seinem Roman heraus. Brahm stellt dabei fest, der Grundgedanke des Romans sei

7 Zu Text und Kontext dieser Kritik siehe Hanser-Ausgabe, 3. Abt., Bd. 2, S. 711–714, 1010 f., sowie die Aufbau-Ausgabe, V,545–547.

die schon in der Ibsen-Kritik vertretene These ›Ehe ist Ordnung‹, und glaubt, daß Bothos Entscheidung für das Herkommen (Selbstgespräch am Hinckeldey-Kreuz, 102,6–11) »die Meinung des Dichters« ausspreche. Brahm hält Fontane für »konservativ« und meldet Bedenken an: »Eine sehr eigentümliche und eine sehr anfechtbare Anschauung, ohne Zweifel.« Der Rezensent verzichtet jedoch auf die Beurteilung der ethischen oder politischen Gesinnung des Dichters und beschränkt sich auf »die künstlerische Wahrheit« des »Kunstwerkes«: »L'art pour l'art, sagen die Franzosen mit Recht; und auch wir lassen hier zurück, was wir an eigenen Anschauungen über jene Fragen etwa auszusprechen hätten, wir streben nach unbefangenem Urteil vor dem Dichter der Ordnung [Fontane] so gut wie vor dem Dichter der individuellen Freiheit [Ibsen].« Trotzdem nimmt Brahm Fontane gegen die moralische Entrüstung der Leser der guten »Tante Voß« in Schutz und beruft sich dabei auf ein Vorbild aus der Weimarer Klassik: »Zur Naturgeschichte des ›Verhältnisses‹ liefert Fontane die treffendsten Beispiele, und der versteht wahrlich die Aufgabe der modernen Poesie schlecht, der ihr rät, das ›Peinliche‹ hier, das ›Unmoralische‹ dort aus ihrem Reiche auszuschließen; er mag nur gleich dem ersten deutschen Roman seine erstaunlichste Gestalt, dem ›Wilhelm Meister‹ seine Philine nehmen.« In der Gattungsfrage verteidigt Brahm »Irrungen, Wirrungen« als Roman: »Nicht singuläre Gestalten schildert Fontane nach Art der Novelle, sondern ein Bild ganzer, großer Lebenskreise entfaltet er, und darum trägt seine Geschichte die Bezeichnung ›Roman‹ zu Recht.« Besonders »die anmutige Gestalt« Lenes »gewinnt« Brahms »herzliche Sympathie, ohne daß der Dichter in irgend einem Punkte beschönigte oder nur idealisierte«. Aber »das bewunderungswürdigste in diesem an Vorzügen reichen Werke« ist nach Brahm vielleicht »die Einheit des Kolorits, im großen wie im kleinen«: »Die besten Reize dieses Romans sind wie die Reize der märkischen Landschaft: sie drängen sich nicht auf, sie wollen gesucht sein.« Zum Schluß seiner Studie wünscht Brahm, daß Fontanes Werk »wacker Schule mache für den immer umfangreicher sich ausprägenden ›Berliner Roman‹. Schule mache in seiner realistischen Kunst, nicht in seiner Tendenz. Denn ob man nun von rechts komme oder von links, ob man predige: Ehe ist Ordnung, oder: Ehe ist Liebe – ein jeder, der so viel Kraft und Tiefe, so viel reifes Können und modernes Wollen mitbringt, soll willkommen sein. L'art pour l'art.«

Otto Brahm: Irrungen, Wirrungen. In: Frankfurter Zeitung vom 20. April 1888. Repr. O. B. Kritische Schriften, hrsg. von Paul Schlenther, Berlin: Fischer 1915, Bd. 2, S. 260–267

Am 10. Februar 1888 bat Fontane seinen Freund und Kollegen bei der »Vossischen Zeitung« Ludwig Pietsch (1824 bis 1911, seit 1864 Mitarbeiter für Kunstkritik, Gesellschafts- und Reiseberichte), »ein paar freundliche Worte« zu sagen, »so, wenn's sein kann, in der Schlesischen, woran mir, wegen meiner schlesischen Beziehungen [u. a. die zu Georg Friedlaender], *sehr* liegt« (B/W II,371).
Pietsch veröffentlichte am 5. Mai 1888 in der »Schlesischen Zeitung« (Breslau) eine ausführliche Rezension, in der er Fontanes Roman zunächst von der »Schablone« des »Berliner Romans« unterscheidet: »Die Gestalten und Zustände, welche wir da geschildert sehen, sind in den meisten Fällen durchaus keine charakteristisch berlinischen, sondern solche, die sich durch nichts wesentlich von denen unterscheiden, welche in jeder anderen größeren Stadt beobachtet werden können oder auch wohl nirgends sonst als in der Phantasie der bewußt oder unbewußt nach überkommenen Mustern aus der Weltliteratur schaffenden Erzähler existiren. Fontane's ›Irrungen und Wirrungen‹ verdienen den Namen eines ›Berliner Romans‹ mit ganz anderem Recht. Der Verfasser kennt die Schichten des Berliner Volkes und der Berliner Gesellschaft, in denen die von ihm erzählte Geschichte spielt, aus dem Grunde und gebietet in vollem Maße über die Fähigkeit, die denselben angehörigen Menschen überzeugend lebenswahr und plastisch und zugleich mit dem genau getroffenen Localcolorit vor uns hinzustellen.«
Pietsch verteidigt »Irrungen, Wirrungen« aber auch gegen die Kritik an dem Vorabdruck des Romans im vorigen Jahr: »Seine wesentlichere Besonderheit liegt in der ganz ungewohnten Art, in welcher die Handlung sich schließlich entwickelt, die Irrungen sich rächen, die Wirrungen sich lösen. Als der Roman im vorigen Sommer im Feuilleton der Vossischen Zeitung erschien, äußerte eine große Zahl seiner

Leser lebhaft ihre Verwunderung und ihren Unmuth darüber, daß er gar keinen Schluß habe, daß der Verfasser da abbreche, wo man erwartet hatte, die Entwicklung der Katastrophe erst beginnen zu sehen. Aber der Erzähler konnte diesen Vorwurf mit dem Hinweis auf das Leben zurückweisen und damit seine Berechtigung widerlegen. Jede lehrhafte, predigende, warnende, moralisirende Tendenz liegt Fontane fern; aber sicher ist er und seine Erzählung ebenso frei von jedem unsittlichen Anhauch, wie ruhig, einfach und offen er auch Verhältnisse behandelt und Persönlichkeiten schildert, über welche die Menschen der guten Gesellschaft gewohnt sind, ›gesittet Pfui! zu sagen.‹«

In einem Punkte aber nimmt Pietsch auf die vorwiegend adligen Leser der Zeitung Rücksicht. Er moniert, daß Fontane »den ›Kaiser-Kürassier‹ und Lieutenant Baron von Rienäcker [...] bei seinen Besuchen in den Häusern der Mutter Nimptsch und der Frau Dörr und auf seinen Spaziergängen mit Lene in der Begleitung der letzteren zuweilen seinen Standesgewohnheiten etwas mehr entsagen« lasse, »als wir es wenigstens bei einem heutigen preußischen Garde-Cavalerie-Offizier von altem Adel – und sei seine Gemüthsart auch die liebenswürdigste, einfachste, von Stolz und Geringschätzung der Geringen freieste – für möglich und wahrscheinlich halten möchten.«

Dagegen macht Pietsch eine interessante Bemerkung zu Lene: »Durch Charakter, natürliche Geistesanlagen, angeborenen Tact und Zartheit, durch Kopf und Herz wäre sie dem Geliebten sicher so ebenbürtig wie nur eine seiner Standesgenossinnen.« Und die Gestalt des Werkmeisters Gideon Franke, den Lene wirklich heiratet, gehört nach Pietsch »zu den eigenartigsten und gelungensten des Romans«.

L. P. [Ludwig Pietsch]: Literarisches. In: Schlesische Zeitung, Nr. 313 vom 5. Mai 1888

In der »Magdeburgischen Zeitung« vom 31. Mai 1888 erschien eine Kurzrezension von Wilhelm Jensch (gest. 1903), Lehrer an der Höheren Gewerbe- und Handelsschule (Magdeburg), der frühere Romane Fontanes (seit »Vor dem Sturm«) in derselben Zeitung besprochen hatte. Gegenüber »L'Adultera« vertrat er nach Fontane einen

»öden Sittlichkeitsstandpunkt« (Brief an Wilhelm Hertz vom 16. 1. 1882), für seine Besprechung von »Schach von Wuthenow« erwarb er aber Fontanes Anerkennung: »Urteile von Nicht-Zeitungsleuten und ganz besonders aus der Schulwelt-Sphäre [...] sind mir immer besonders wertvoll, und ich zähl es zu den Glücklichkeiten meines Lebens, daß mir speziell aus drei Kreisen, aus dem der Offiziere, der Prediger und der Professoren und Doktoren, am meisten Anerkennung zuteil geworden ist« (Brief an Wilhelm Jensch vom 13. 12. 1882, zit. nach der Aufbau-Ausgabe, III,627).

»Entwirrungen – wäre vielleicht noch zutreffender als Titel für den neuen Roman des Dichters von L'Adultera, worin er das der Legalisierung ermangelnde Verhältniß der beiden Geschlechter zum Gegenstand genommen hat. Sein Organ ist ein Vertreter der guten Gesellschaft, ein über jedes Standesvorurtheil erhabener Cavallerieofficier. Voraussetzung ist die Thatsache, daß zu große Standesunterschiede innerhalb einer gesetzmäßigen Ehe zu nichts Gutem zu führen pflegen. Da nun aber einmal die Liebe blind ist und aller Standesvorurtheile spottet, so entsteht die Frage: Ist Einigung ohne Sanction, d. h. die wilde Ehe nicht die Mitte zwischen den Forderungen des Herzens und der Gesellschaft? Der Dolmetscher des Dichters, Baron Botho v. Rienäcker, beantwortet die Frage, als sie durch den Mund eines Kameraden an ihn ergeht, mit ›Nein‹; nichts sei gefährlicher als der ›Mittelcurs‹, der entweder einen Bruch mit Herkommen und Sitte und damit Selbstunzufriedenheit – oder eine Rückkehr in die alten Verhältnisse, die ohne Jammer nicht geschehen können, im Gefolge habe. Dagegen verdienten noch immer die Verhältnisse den Vorzug, bei denen Knüpfen und Lösen in dieselbe Stunde falle. Der Rathgeber spricht aus eigener Erfahrung: der größere erste Theil des Romans erzählt nämlich von dem innigen Verhältniß des Barons zu einem Mädchen aus kleinbürgerlichem Kreise. Er löst das Band, nicht als Held, sondern als guter Sohn seiner Familie, mit voller Einsicht in die Unhaltbarkeit der alten lieben Beziehungen und – zum Glück – mit Zustimmung Magdalene's, welche einem wackeren Manne ihres Standes, dem Fabrikmeister Gideon Franke, ihre Hand gibt. Die Geschichte spielt natürlich in der Gegenwart und in Berlin und ist ganz in der liebenswürdigen, anziehenden Erzählerweise Fontane's vorgetragen.«

J. [Wilhelm Jensch]: Literarisches. In: Magdeburgische Zeitung, Nr. 274 vom 31. Mai 1888

Laut Register scheint »Irrungen, Wirrungen« der erste Roman Fontanes zu sein, der in »Westermanns Monatsheften« (Braunschweig) besprochen wurde. Es handelt sich um eine Kurzrezension von Adolf Glaser (1829–1916), der von 1856 bis 1878 und wiederum seit 1882 Redakteur war. Fontanes Roman »Ellernklipp« erschien dort im Vorabdruck (1881), »Cécile« wurde aber wegen des »heikeln Themas« abgelehnt (Glaser an Fontane vom 29. 4. 1885, vgl. Hans-Joachim Konieczny: Theodor Fontane und ›Westermanns illustrirte deutsche Monats-Hefte, in: Fontane Blätter, H. 24, 1976, S. 581).

»Sensationsbedürftige Leser werden diese Erzählung zu einfach finden, und in der That ist die zweite Hälfte derselben eigentlich nur eine etwas ausführliche Relation über die weiteren Schicksale eines Liebespaares, dessen kurzes Glück nur auf dem ruhigen Verständnis der eigenen Natur und dem klaren Blick in die Verhältnisse aufgebaut ist. Ein vornehmer junger Offizier und ein Mädchen aus dem Volke schließen für kurze Zeit diesen Liebesbund, aber mit welchem feinen poetischen Takte Theodor Fontane die Absicht durchführt, kein gewöhnliches frivoles Verhältnis, sondern eine wahre und tiefe Neigung zu schildern, wobei namentlich der helle Verstand des Mädchens ganz genau die Ereignisse vorhersieht, denen sich beide fügen müssen. Jedes geht dann seinen eigenen Weg, und es ist wiederum mit großer Feinheit durchgeführt, wie sie äußerlich nach den Begriffen der Welt in ganz günstigen Umständen leben, aber ihrer inneren Natur nach doch nur während jener kurzen Zeit ihres Liebesglückes wirklich eine reine und schöne Lebensfreude kennen lernten. Mit welcher Anschaulichkeit der Dichter die lokalen Verhältnisse – der Roman spielt in Berlin –, mit welcher Lebensfülle die einzelnen Gestalten ausgestaltet hat, davon mag sich der Leser selbst überzeugen.«

G. [Adolf Glaser]: Litterarische Notizen. In: Westermanns illustrierte deutsche Monatshefte, 32. Jg., Bd. 64 [April–September 1888] S. 697

Am 16. August 1888 erschien im »Deutschen Wochenblatt« (Berlin), an dem Fontane im selben Jahr Mitarbeiter wurde, eine Rezension von Robert Hessen (1854–1920), einem Arzt mit literarischen Interessen, der der Zwanglosen Gesellschaft nahestand (ab 1890 Mitglied) und der unter dem Pseudonym »Avonianus« eine vielgelesene »Dramatische Handwerkslehre« (Berlin 1895) verfaßte, in der der Autor von »Irrungen, Wirrungen« als Vorbild für die reife Technik ausdrücklich empfohlen wird (S. 234). (Siehe ferner die Würdigung Fontanes in Hessens Buch »Deutsche Männer. Fünfzig Charakterbilder«, Stuttgart 1912, S. 379–387.)
Durch ironische Charakteristik und zugleich scharfe Kritik grenzt Hessen Fontanes Kunst einerseits von der humorlosen Schwarz-Weiß-Malerei in den Gartenlaube-Romanen der Marlitt[8], andererseits von der absichtlichen Häßlichkeit in den naturalistischen Romanen à la Zola ab. Fontane zeige eine gesündere Veranlagung und einen ungleich feineren Geschmack; er wende sich an einen vornehmeren Kreis. Der Realismus Fontanes entspreche demjenigen in Schillers »Wallensteins Lager« (1799); mit diesem Vergleich meint Hessen eine ›Verklärung‹ des »Platten und Alltäglichen«, sowohl im Vorspiel von Schillers klassischem Drama als auch im realistischen Roman Fontanes.
Obwohl Fontane »einen Stoff gewählt [hat], mit dem zwar Jeder, der in unserm deutschen Babylon gehaust hat, durchaus vertraut ist, d. h. das außereheliche Zusammenleben beider Geschlechter«, erscheine Hessen neu »die Art, wie er diesen heikeln Stoff behandelt, wie er ihn psychologisch vertieft und dichterisch verwerthet hat«. Hessen versichert, daß Fontanes Roman »von jeder jungen Frau in die Hand genommen werden [kann], ohne daß sie fürchten brauchte, erröthen zu müssen«, dennoch meint er, daß »für einen Backfisch, dessen Einbildungskraft bereits erwacht ist, der Roman sich schlechterdings zur Lektüre nicht eignet«.
Es wird auf eine Inhaltswiedergabe verzichtet, »da wir

8 Marlitt, eigtl. Eugenie John (1825–87), vielgelesene Unterhaltungsschriftstellerin, deren Erfolg mit dem der »Gartenlaube« eng zusammenhängt. Zum Verhältnis Fontane und die zeitgenössische »Trivialliteratur« sowie zu einer vergleichenden Analyse von »Irrungen, Wirrungen« und Marlitts Roman »Goldelse« (1866) siehe Liesenhoff, S. 71 bis 74, 90–92 (auch in Kap. III,3).

die Absicht haben, nicht etwa die Neugierde des Publikums zu stillen, sondern ganz im Gegentheil dieselbe zu erregen«. Hessen befaßt sich stattdessen mit dem Thema des Romans, das er als Frage formuliert: »Wie stellt sich Jemand, der ein ›Verhältniß‹ gehabt hat, zur Ehe und wie stellt sich die Ehe für ihn?« Das so formulierte Thema wird im allgemeinen, aber mit Bezug auf Moral und Wirkung des Romans erörtert: »Erscheinen diejenigen Männer anstößiger, – so etwa mag die stillschweigend gezogene Moral lauten, – die von einem Tage zum andern wechseln, so sind sie doch auch die Kräftigeren, die ihre Freiheit nur für einen vollen Ersatz darangeben mögen, die ihr Bestes nicht außerhalb der Ehe verschleudern, denen die Ehe etwas Hohes und Neues bleibt, die ihren dereinstigen Frauen in ausschlaggebender Beziehung unverbraucht gegenübertreten. Erscheinen diejenigen Männer sympathischer, die ihre monogamische Veranlagung auch in ihrem ›Verhältniß‹ zur Geltung bringen und es womöglich zu einem dauernden gestalten möchten, so sind sie fast ausnahmslos auch gerade die Philiströsen, die Bequemen, die sich gerne gehen lassen, nur um keinen Entschluß fassen zu müssen, die ihr Gefühl vor der Zeit verausgaben, die schließlich mit Unwahrheit und Halbheit dennoch in die Ehe treten, um sich von ihrer betrogenen Frau zu ihrem ›Verhältniß‹ zurückzusehnen und – wie oft! – auch zurückzukehren. Das Einzige, was die Gefahr beschwören kann, bleibt immer: so schnell als möglich den trennenden Schnitt zu machen und dann langsam den bittern Kern zu verdauen, den alle verbotenen Genüsse bergen. Sind die Betreffenden stark genug, so wird es ohne Zerstörung weiteren Lebensglückes abgehen, und ob das Ärgste verhütet werden wird oder nicht, dies gibt dem Fontaneschen Roman bis zum Schlusse die nöthige Spannung.«
Hessen meint, daß Fontane dieses Thema »sehr hübsch herausgearbeitet« habe, doch hält er »die letzten Tage des Beisammenseins der Liebenden« für die gelungensten Kapitel des Romans und vergleicht sie sogar mit Theodor Storms tragischer Novelle einer verbotenen Liebe »Aquis submersus« (1876/77): »Es liegt über ihnen ein Hauch jener gewitterschwülen, beklommenen, seligtraurigen Stimmung, wie sie uns Storm in seinem ›Aquis submersus‹ mit schmerzlicher Wollust vor die Seele zaubert.« Die Kapitel in Hankels

Ablage zeichnen sich auch durch die Szenerie aus, die Hessen an Fontanes »Wanderungen durch die Mark« erinnert.
Zum Schluß seiner Rezension verrät Hessen seinen politischen Standpunkt, indem er den Typus des »frondierenden alten Edelmann[s] aus der Uckermark« (Bothos Onkel Osten) als »die zuverlässigsten Söhne unsres Landes« bezeichnet.

Rob[ert] Hessen: Theodor Fontane's neuester Roman. In: Deutsches Wochenblatt, Nr. 21 vom 16. August 1888, S. 251 f.

Otto Pniower (1859–1932), Literaturhistoriker und Kritiker, seit 1885 Mitglied der Zwanglosen Gesellschaft, bekennt sich in seiner in der »Deutschen Rundschau« veröffentlichten Rezension ausdrücklich zur »unparteiischen Ästhetik« Wilhelm Scherers (1841–86) und will »an die zu betrachtenden Schöpfungen [neben »Irrungen, Wirrungen« auch Spielhagens[9] Roman »Noblesse oblige« und einen Band Novellen von Heyse[10]] keinen anderen Maßstab legen, als den Bedingungen ihres jeweiligen Stiles zukommt«.
Pniower weist zunächst auf den analytischen Aufbau der undramatischen Handlung in Fontanes Roman hin: »Wir sehen nicht das Liebesverhältniß vor uns entstehen, sondern wir treten in die Erzählung ein, als es schon seinem Höhepunkt zugeführt wird«; aber »für den aufmerksamen Leser läßt er [Fontane] von vornherein durchblicken, daß es sich um ein Verhältniß handelt, ›wo Knüpfen und Lösen sozu-

9 Friedrich Spielhagen (1829–1911), einer der führenden deutschen Schriftsteller und Kritiker der Zeit (»Beiträge zur Theorie und Technik des Romans«, 1883). Wie Wilhelm Scherer (vgl. W. Sch., Zur Technik der modernen Erzählung [u. a. Spielhagens ›Platt Land‹], in: Deutsche Rundschau, Jg. 6, Bd. 20, 1879, S. 151–158) kritisiert Pniower Spielhagens Technik der Objektivität, weist aber auf dessen »Gestaltung interessanter Handlung« hin (S. 312).
10 Paul Heyse (1830–1914), einer der erfolgreichsten deutschen Schriftsteller der zweiten Jahrhunderthälfte. Während Pniower Fontanes »Charakteristik origineller Personen« betont (S. 312), lobt er Heyses »interessante Charaktere und interessante Begebenheiten« (S. 314). In der Sammelrezension in der von Paul Lindau herausgegebenen Monatsschrift »Nord und Süd« (Berlin) über »Dichtungen in Prosa« des Jahres 1888 wird Fontanes Roman nicht einmal erwähnt, während Heyses Novellenband (»Villa Falconieri und andere Novellen«) zum bedeutendsten Beitrag gerechnet wird: »An erster Stelle mag diesmal wieder Paul Heyse genannt sein, der unermüdliche, so reich mit Phantasie und Herz begabte Dichter« (Bd. 45, S. 411).

sagen in dieselbe Stunde fällt‹«. Der einzige »Wendepunkt«, der »Entschluß des Barons, sich von dem Mädchen loszusagen«, werde nicht »auf den Effect hin« angelegt, und »im zweiten Theile des Romans« (die Schilderung von Bothos Ehe), der »nur den Zweck des contrastischen Gegenstückes« habe, lasse der Dichter »die Handlung gar nicht einmal zu einem gewissen Punkte aufsteigen«, sondern er halte sie »fast ganz retardierend«.

Pniower fragt, wie es Fontane gelingt, daß er »trotzdem [...] unsere Theilnahme von vornherein [gewinnt] und sie bis zum Schluß festzuhalten [weiß]«. Nach Pniower gelingt es Fontane vor allem durch »die Kunst der Charakteristik«, aber auch durch den humoristischen Ton des Romans. Diesen humoristischen Ton versucht Pniower etwas näher zu bestimmen: »Es ist nicht ganz leicht zu sagen, worin dieser humoristische Ton besteht. Er hat wohl etwas spezifisch Berlinisches, er erinnert aber auch an den Humor der Romantiker. Wie der Humor des Berliners darin besteht, daß er eine reine, erhöhte Stimmung gerne mit einem Witzwort zerstört, so ist auch Fontane gelegentlich bemüht, das Poetische gewissermaßen zu ironisieren, indem er ihm, wenn auch discret, ein Körnchen derber Realität beimischt. Ich finde diesen Zug schon in der Namengebung, wenn der Dichter die bürgerlich-erhabene Gestalt seiner Heldin mit dem wenig wohltönenden Namen Lene Nimptsch benennt. Ich finde ihn auch, wenn er in der Darstellung eines Spazierganges nach Wilmersdorf das Idyll des Liebespaares durch Zweideutigkeiten einer gutartigen Frau Marthe sozusagen verweltlicht.«

Für Pniower »kommt aber für die Wirkung des Romans noch ein anderer Zug in Betracht, der nicht spezifisch Fontanesch ist, sondern innerhalb der Tendenz des modernen, namentlich realistischen Stiles überhaupt zu liegen scheint: [...] die bewußte Anrufung der *verstandesmäßigen Phantasie* des Lesers. Die Dichter sprechen entscheidende Dinge, wichtige Motivirungen nicht bestimmt aus, sondern begnügen sich, um dem Verständniß Handhaben zu bieten, mit Andeutungen, die sie über die Darstellung verstreuen. Schlüsse, in denen haarklein über alles Bericht erstattet wird, vermeiden sie und beschränken sich auf bloße Winke über die Zukunft der Hauptpersonen, die gleichfalls über das Ganze hin vertheilt sind. Zuweilen legen sie sogar direct Räthsel vor, um dem Leser zu denken zu geben, ihm an der dichterischen Thätigkeit gleichsam selbst Antheil zu gewähren. Keiner ist darin mehr Virtuose als Ibsen. Aber auch Fontane weiß von dieser Art der Darstellung geschickt und fein Gebrauch zu machen. Nirgends sagt er *direct*, wie wenig glücklich Botho in der Ehe sich fühlt und wie sehr die Erinnerung der früheren Liebe an ihm nagt, er läßt es uns nur aus Symptomen schließen. Weshalb Lene später darein willigt, dem braven Sectirer die Hand zu reichen, verräth er ebensowenig unmittelbar, vielmehr läßt er den Leser selbst die Gründe dafür aussuchen. Ja, als das Liebesidyll in Hankel's Ablage durch den Besuch von Freunden Botho's gestört wird, vermeidet es der Dichter nicht nur, bestimmt zu sagen, ob es sich um eine Verabredung handelt oder nicht, sondern spricht von einer ›vielleicht geplanten‹ Störung, indem er somit die Frage offen läßt, ob das Zusammentreffen auf Zufall beruhte oder nicht. Er appellirt mit bewußter Absicht an das *Nachfühlen* der Leser, und fordert dadurch ein langanhaltendes Interesse gewissermaßen heraus.[11]«

Pniower unterscheidet Fontane von »moderne[n] Realisten mit weniger ernsten Intentionen«, die »in Anführung rein äußerer Daten und Ortsschilderungen bis zur Pedanterie penibel sind«. Bei Fontane handle es sich um »innere Bearbeitung«, und Pniower führt als Beispiel »die Affaire Arnim« an, die Fontane, ohne seinen Namen zu nennen, »geschickt einflicht, wodurch er noch die Möglichkeit gewinnt, die Charakteristik einer episodischen Figur glücklich zu bereichern[12]«. Zum Schluß charakterisiert Pniower »Irrungen, Wirrungen« als »eine dichterische Verkörperung des modernen Berlin«.

Otto Pniower: Literarische Rundschau. Neue Romane und Novellen. In: Deutsche Rundschau, Jg. 14, Bd. 56 [Juli bis September 1888] S. 307–314

11 Zur Bedeutung von Pniowers Analyse der Leserrolle sowie der Appellstruktur des Romans siehe Horst Schmidt-Brümmer: Formen des perspektivischen Erzählens: Fontanes ›Irrungen Wirrungen‹, München: Fink 1971, S. 104 f., Anm. 8.

12 Pniower spielt auf Bothos Onkel Osten an. Zu dessen Gespräch über die Arnim-Affäre siehe die Anm. zu 44,17.

In den »Blättern für literarische Unterhaltung« (Leipzig) erschien am 20. September 1888 eine Rezension von Richard Weitbrecht (1851–1911), einem schwäbischen Pfarrer und volkstümlichen Schriftsteller, der mit seinem Bruder Carl »Geschichten aus'm Schwobeland« (1877, 1882) herausgab, aber auch selbständige literaturhistorische sowie -kritische Arbeiten (u. a. »Geschichte der deutschen Dichtung für Frauen«, 1880) veröffentlichte.
Weitbrecht rezensiert Alexander Baron von Roberts' (Pseudonym Robert Alexander, 1845–96) Roman »Götzendienst« und Fontanes »Irrungen, Wirrungen« unter der Rubrik »Zwei Berliner Lieutenantsromane«. Für Weitbrecht bedeutet der ›Berliner Lieutenantsroman‹ eine Untergattung des zeitgenössischen realistischen, genauer Berliner Romans, mit dem man »im großen Ganzen [...] zufrieden sein« könne. Mit Bedauern bemerkt er aber: »Daß die Helden neuerer Romane und insbesondere von Berliner Romanen Offiziere sind, ist wiederum sehr natürlich in einer Zeit, wo das Wort von dem Volk in Waffen Wahrheit, vielfach bittere Wahrheit geworden ist.«
Weitbrecht bezeichnet Fontanes Roman als »eine Standestragödie in den Formen unserer Zeit«, die »weitaus mehr psychologische Vertiefung und Gleichheit der Stimmung« als Roberts' »Götzendienst« zeige (der im Vorabdruck in der »Gartenlaube« erschien). Sonst übt Weitbrecht Kritik an Moral sowie Stil des Fontaneschen Romans: »Nun aber ist Botho in seiner Ehe nicht glücklich, Lene kann es auch nicht sein; also hier die Scylla, dort die Charibdis des Lebens, und die Moral des Romans: wenn es schon vor der Ehe nicht ohne solche Verhältnisse abgeht, dann wenigstens das Herz aus dem Spiele lassen und sich mit dem gewöhnlichen Maitressenthume begnügen, wie es uns in den Kameraden Bothos und ihren Freundinnen vorgeführt wird. Wir gestehen, von dieser Moral sehr unbefriedigt zu sein.« Und: »Der Stil ist oft schwerfällig und entbehrt ab und zu der Klarheit. Seltsame Wörter wie ›Unredensartlichkeit‹ laufen mit unter und die falsche Anwendung des Wortes ›selten‹ für außergewöhnlich in ›eine selten gute Frau‹ erinnert an jenen ehrenden Nachruf: er war ein selten nüchterner Mann!«
Zum Schluß bekrittelt Weitbrecht den Berliner Dialekt in

Fontanes Roman: »Eins aber müssen wir entschieden tadeln: die häufige Anwendung von Dialektwörtern nicht blos in den Reden der Personen, sondern auch in der eigenen Erzählung des Verfassers. Schon in früheren Romanen ist Fontane in diesem Stücke bis hart an die Grenzen gegangen, wo die Verständlichkeit aufhört. Kann man schon nicht jedem Leser zumuthen, die Topographie Berlins bis ins einzelnste zu kennen [...], so geht es schlechterdings nicht, den Leser mit Worten zu überschütten, die lediglich für den Berliner verständlich sind. Ich glaube, daß viele Leute in Deutschland mit folgenden, zudem nicht ohne weiteres aus dem Zusammenhange verständlichen Worten schlechterdings nichts anzufangen wissen: Hutscher, Husche, sie simperte, wuppt, abgeäschert, abschälbern, weimern, lehnan, dalbern, wibbeln u. a. Das S. 3 gebrauchte Wort Wrasen ist zwar S. 40 erklärt, aber es kommt in der Erklärung das Wort Tülle vor, wodurch die Erklärung wieder unverständlich wird. Entweder man schreibe ganz in der Mundart, dann weiß jeder Leser, was er zu erwarten hat, oder aber, wenn man sich des Schriftdeutschen bedient, so schreibe man ein reines, allen verständliches Deutsch. Jedenfalls meine man nicht, durch solche mundartliche Brocken das Localcolorit erhöhen zu sollen: wer so bestimmte Farben aufzutragen weiß, wie Fontane, hat das überdies gar nicht nöthig.«

Richard Weitbrecht: Zwei berliner Lieutenantsromane. In: Blätter für literarische Unterhaltung, Nr. 38 vom 20. September 1888, S. 599–601

In den »Grenzboten« (Leipzig) vom 27. September 1888 erschien eine umfangreiche, anonyme Rezension von dem Mitarbeiter Adolf Stern (1835–1907), der Schriftsteller sowie Literaturprofessor (am Polytechnikum) in Dresden war. Die liberale, früher von Gustav Freytag geleitete bürgerliche Zeitschrift wandte sich heftig gegen die naturalistische Bewegung und trat für reaktionäre Schriftsteller (z. B. Otto von Leixner, Carl Weitbrecht) ein (vgl. Fritz Schlawe: Literarische Zeitschriften 1885–1910, Stuttgart: Metzler [2]1965, S. 12). Jürgen Jahn bezeichnet Sterns Fontane-Studie (mit Bezug auf dessen Kritik an »Irrungen, Wirrungen«) in »Studien zur Literatur der Gegenwart« (Dresden 1895, [2]1898) als »ein deutliches Exempel für das völlige Versagen

eines preußischen Liberalen vor dem Anliegen eines Kritikers der feudalistisch-bourgeoisen Gesellschaft Preußens«, ohne aber auf die ursprüngliche Fassung dieser Kritik in Sterns Rezension in den »Grenzboten« hinzuweisen (Aufbau-Ausgabe, V,557). Bezeichnenderweise wurde der von Jahn zitierte Passus in der 3. neubearbeiteten Auflage (1905) von Sterns »Studien zur Literatur der Gegenwart«, also nach Fontanes Tod (1898), gestrichen (s. S. 214–216).
Stern stellt mit Bedauern in dem neuesten Roman Fontanes eine gewisse Annäherung an die »Zeitstimmung« fest, versucht jedoch den »echten Dichter« von der »naturalistischen Schule« abzugrenzen. Es folgt eine ausführliche, aber nicht immer genaue oder objektive Nacherzählung der Handlung. So wird z. B. das Verhältnis zwischen Botho und Lene verschoben, wenn nicht verkehrt: »Er hat ihr obenein gesagt, daß er eines Tages Abschied auf Nimmerwiedersehen nehmen müsse [...]. Das arme Mädchen will auf das kurze, bittre Glück, das sie mit ihrer Hingebung erkauft, eben nicht verzichten [...].« Und in der Charakteristik Gideon Frankes verrät Stern sogar seine Stellung zum Sozialismus: »Schließlich nähert sich ihr ein wackerer Mann, ein tüchtiger Maschinenbauer, der nebenbei ein wenig Sektirer, einer von den vielen Aposteln im Werkkittel ist, welche neben und trotz den sozialistischen Agitatoren auf Berliner Arbeiterkreise wirken.« Diese Charakteristik fehlt in der 3. neubearbeiteten Auflage (1905) von Sterns »Studien zur Literatur der Gegenwart«, wie auch der ganze Abschluß der Rezension, wo Stern mit modernen Einflüssen auf Fontane noch einmal abrechnet.
Stern will nicht leugnen, daß »der Dichter ein Recht, ja unter Umständen eine Pflicht hat«, »Zustände und Verhältnisse wie die hier geschilderten« »darzustellen«, nur findet er, daß »Fontane in der Schilderung der Wirklichkeit entschieden zu viel [thut], indem er nicht bloß charakteristische, für das Verständnis der Handlung und der Menschen wichtige Züge wiedergibt, sondern in episodischen Szenen Beobachtungen aller Art verwertet«. Als Beispiele führt Stern »die ehelichen Auseinandersetzungen zwischen dem geizigen Gemüsegärtner Dörr und seiner Ehehälfte« und »die endlose Droschkenfahrt Bothos zum Kirchhof am Kreuzberge« an, und meint, daß solche »Beigaben« »höchstens von dem

Standpunkte aus belobt werden [können], daß sie die Atmosphäre wiedergeben helfen«: »Aber die Atmosphäre ist ein vieldeutiges und namentlich vom Naturalismus mißbrauchtes Wort [...]. Wohin sollen wir kommen, wenn das schlechthin Richtige, platt Äußerliche, gemein Alltägliche immer breiteren Raum in der Darstellung erlangt, wenn sich die Trivialität der Schnellphotographie auf Schriftsteller von Fontanes Geist und Meisterschaft berufen kann? Gewiß wird alles, was von dieser Art in ›Irrungen-Wirrungen‹ enthalten ist, durch die gehaltvollen und künstlerisch berechtigten Teile des kleinen Romans aufgewogen, gewiß versteht Fontane selbst die häßlichen, staubigen Episoden durch seine Kunst des Vortrags und namentlich durch die Kunst der Wiedereinfügung in das Ganze annehmbar zu machen. Doch wird uns jeder Leser beistimmen, daß von diesen Episoden bis zur wahllosen Wirklichkeitsschilderung nur noch ein Schritt, nicht einmal ein besonders großer Schritt sei. Daß es für Fontane ein Kinderspiel ist, Paul Lindau nach der einen und Max Kretzer nach der andern Seite hin zu übertrumpfen, glaubt ihm ohnehin jedermann. Daß er hierin eine poetische Aufgabe und ein künstlerisches Ziel finden könnte, wird er selbst nicht glauben, und so hoffen wir, daß uns der Wunsch erfüllt werde, ihm bald in einer Schöpfung wieder zu begegnen, die alle Vorzüge von ›Irrungen-Wirrungen‹ ohne die häßlichen und unerquicklichen Beifügungen dieses Romans aufweisen möge.«

Anonym [Adolf Stern]: Fontanes Roman Irrungen – Wirrungen. In: Die Grenzboten, Bd. 47, H. 4 vom 27. September 1888, S. 42–47

Am 1. Dezember 1888 erschien in der Wochenschrift »Die Gegenwart« (Berlin) eine mit »-g.« gezeichnete Rezension. Diese Unterzeichnung läßt sich auch nicht durch das Register des Jahrgangs 1888 entschlüsseln. Vermutlich war der Chefredakteur (seit 1881) Theophil Zolling (1849–1901) der Rezensent, er hatte frühere Romane Fontanes (»Ellernklipp«, »L'Adultera«) in der »Gegenwart« besprochen. Der Gründer der »Gegenwart«, Paul Lindau (1839–1919), hatte Fontane offenbar um ein Exemplar von »Irrungen, Wirrungen« gebeten (vgl. Fontanes Antwort vom 22. 4. 1888: »Ihre Güte hat es gewollt, und so schicke ich gleichzeitig mit diesen

Zeilen den kleinen Roman. Möge er leidlich vor Ihrem Urteile bestehn.«, in: B/W II,374).
Der Rezensent bestreitet zunächst die Gattungsbezeichnung »Roman« und meint, Fontanes Werk sei »höchstens eine Novelle und auch als solche nach dem landläufigen Begriffe ohne jede Handlung und Verwickelung«. »Irrungen, Wirrungen« wird als »die alltägliche Geschichte eines ›décollage‹« charakterisiert, »wie die naturalistischen Franzosen, von denen Fontane so viel gelernt hat, sagen würden«. Was die Beurteilung des Buches betrifft, unterscheidet der Rezensent zwischen dem »Leihbibliothekenleser«, der »natürlich über diesen Mangel an Romantik empört« sei, und dem »feinere[n] Leser, der zwischen den Zeilen liest und sich auch an einem unerbittlichen Abbilde des Lebens erfreut«. Dem letzteren »ist es eine Conversationsnovelle, wie es ja auch Conversationslustspiele gibt, wo die Handlung in eine Nußschale ginge und der ganze Reiz in dem munteren oder geistreichen Dialog steckt«. Der Rezensent hebt Fontanes Kunst der Konversation hervor und fährt mit Vergleichen mit der französischen Literatur fort: »Man möchte glauben, daß der Dichter nach einem Phonographen schreibt, der die Gespräche dieser Offiziere und Leute aus dem Volke aufbewahrt hat, denn da ist Alles so echt bis in jeden kleinsten Zug hinein. Zola's Arbeiter, Guy de Maupassant's Seeleute reden nicht naturgetreuer, als diese Märker und Pommern.« Die Konversation im Kreise Käthe von Rienäckers wird in einer solchen »Conversationsnovelle« besonders gelobt: »Wie prächtig ist das lustige, pikante und doch so ›dalbrige‹ Geplauder der kleinen Lieutenantsfrau, und wie meisterhaft führt sie ihre spitze Feder! Mit ein paar Strichen steht die Wiener Jüdin und das Schlangenbader Curleben vor uns, und wie viel Intimes und Pikantes blitzt da und dort auf!« »Im Großen und Ganzen« hält der Rezensent Fontanes Roman für »ein[en] wohlgelungene[n] Versuch, die handlungs- und schlußlose naturalistische Romanmanier, wie sie Flaubert am besten in seiner ›Education sentimentale‹ [1869][13] dargelegt und Maupassant erst neulich in ›Pierre et Jean‹ [1888][14] gestreift haben, auf deutsche Gestaltung

13 Gustave Flauberts (1821–80) Hauptwerk »Madame Bovary« (1857) gilt als der realistische Roman par excellence.
14 Guy de Maupassant (1840–93) schrieb naturalistische Novellen und

überzutragen«. Zugleich sei Fontane »ein wahrer Dichter, ein deutscher Dichter« und sein Werk »ein bis in's Kleinste echter Berliner Roman, an dessen Bewältigung schon so Viele sich umsonst versuchten«.
Zum Schluß aber kritisiert der Rezensent (nicht ohne Ironie) balladeske Züge im realistischen Roman Fontanes: »Nur einmal spielt der Balladendichter dem Realisten einen argen Streich. Erst in der Mitte der Erzählung erfahren wir, daß der adelige Lieutenant Lene's erster Liebhaber nicht ist.[15] Das sieht nun so aus, als wäre dieses Motiv dem Verfasser erst nachträglich eingefallen, gleichsam als Notbehelf, um der im Sande verlaufenden Alltagsgeschichte wieder einen frischeren und – längeren Lauf zu geben. Es verstößt auch gegen den naturalistischen Codex, der klare Verhältnisse fordert und gleich anfangs sich ein ›dossier‹ seiner Menschen aufsetzt und dem Leser mittheilt. Das Nämliche gilt von der Andeutung im ersten Kapitel, daß Lene wohl nicht das Kind der Frau Nimptsch und bloß angenommen, ›vielleicht eine Prinzessin oder so was‹, sei. Auch auf diesen Punkt kommt kein Mensch mehr zurück, nicht einmal die sterbende Pflegemutter in ihrem letzten Willen. Das ist aber nicht naturalistisch, sondern balladesk. Der echte Realist will, wie Theodor Döring[16] im Verschwiegenen wider Willen sagte: ›klär sehen‹.«

-g: Notizen. In: Die Gegenwart, Bd. 34, Nr. 48 vom 1. Dezember 1888, S. 348 f.

In seinem in der Wochenschrift »Die Nation« (Berlin) veröffentlichten Geburtstagsartikel bezeichnet der Publizist und Schriftsteller Maximilian Harden (eigtl. Witkowski, 1861–1927) den Dichter als Naturalisten: »Theodor Fontane ist – im universellen Sinn des Wortes – ein Naturalist! Freilich einer, den die Liebe, nicht die Galle – keine litterarische Anatomie wird sie in ihm entdecken! – zum

›Milieu‹-Romane, konzentrierte sich aber auf den »inneren Zustand« der Menschen (vgl. das programmatische Vorwort zu »Pierre et Jean«).
15 Der Rezensent spielt auf Kap. 17 (125,20) an.
16 Theodor Döring, eigtl. Häring (1803–78), bedeutender Charakterdarsteller, 1845–78 am Berliner Hoftheater. Eine seiner hervorragendsten komischen Leistungen war der Kommissionsrat Frosch im »Verschwiegenen wider Willen oder Kommissionsrat Frosch« (1816) von August von Kotzebue (1761–1819), vgl. Carl Wexel, »Theodor Döring als Mensch und Künstler«, Berlin: Bloch 1878, S. 77.

Allesverstehen geführt hat und zum Allesverzeihen; er glaubt ›*an* diese Welt *trotz* dieser Welt‹ [...].«
Am Beispiel des Romans »Schach von Wuthenow« (1882) charakterisiert Harden Fontanes Mut, nach »peinlichen« Stoffen zu greifen; anschließend konstatiert er Fontanes Entwicklung zum modernen, gesellschaftskritischen Roman: »Und so, gesellschaftskritisch gestimmt, aber mild und betrachtsam, schritt nun der Wanderer fort [...] und ganz plötzlich stand er mitten drin im allermodernsten Berliner Leben, [...] mitten in den ›Irrungen, Wirrungen‹. Wieder sah er, was vor ihm kein Deutscher gesehen: das ›Verhältniß‹, nicht eine imitirte Flirtation oder ein collage nach Daudet'schem Muster[17], sondern wiederum etwas Neues: den typisch-berlinischen Herzensbund auf Zeit, der von den Sinnen geschlossen und vom Verstand gelöst wird in herzlicher Freundschaft. Von wilder Leidenschaft ist da freilich keine Spur; der märkische Junker ist schwerfällig, aber voll praktischen Sinnes; er weiß: eines schönen Tages heißt es Abschied nehmen und ein gutgemästetes Gänschen heimführen aus einem reichen Edelhof, denn ›Ehe ist Ordnung.‹ Und auch Lene Nimptsch, das gutgeartete Mädchen, weiß es nicht anders; sie ist weich und träumerisch-sinnlich, wie fast alle Frauen bei Fontane, aber sie ist auch vernünftig und lebensfroh; [...] und so nimmt sie am Ende den wackeren Gideon, da ihr der Botho in adliger Unerreichbarkeit entgleitet.«
Wie Schlenther und Brahm hält Harden Fontane für konservativ, aber er hat Bedenken: »Ganz leise scheint mir jedoch schon in diesem einzig gearteten Buch die Frage anzuklingen: Ist auch wirklich alles gut in unserer Gesellschaftswelt? Muß man ein prächtiges Geschöpfchen wirklich lassen aus Standes- und Standesamtsvorurtheilen? Fontane ist konservativ und mit einem kleinen Seufzer antwortet er: Es muß wohl so sein. Aber ich bin nicht sicher, daß er eines Tages – meinetwegen mit achtzig Jahren – laut und deutlich, und am Ende gar in der ›Vossischen Zeitung‹, sagen wird: Nein.«

Maximilian Harden: Fontane. In: Die Nation, Nr. 13 vom 28. Dezember 1889, S. 189–192. Repr. M. H., Literatur und Theater, Berlin 1896, S. 98 ff.

17 Alphonse Daudet (1840–97), Romanschriftsteller (Pariser Sittenbilder). Harden denkt vielleicht an die Liebesaffäre einer Kurtisane in »Sapho« (1884). Vgl. das »Festblatt« von Conrad Alberti (anschließend).

Zum 70. Geburtstag Fontanes (30. 12. 1889) veröffentlichte Conrad Alberti (eigtl. Konrad Sittenfeld, 1862–1918), Schriftsteller und Kritiker in Berlin, ein »Festblatt« in dem Hauptorgan des Münchener Naturalismus »Die Gesellschaft«.

Alberti reklamiert den »Schriftsteller der älteren Generation« ziemlich forsch als Naturalisten. Nach Alberti gelang es Fontane, »sich im ersten Anlauf, mit der Novelle ›L'Adultera‹ [1880–82] einen führenden Platz in der Schar der neuen Kämpfer zu verschaffen«. Alberti unterscheidet Fontanes Kunst von den Versuchen von Paul Lindau (sowie von »Genossen« wie Friedrich Spielhagen und Oskar Blumenthal[18]), die Berliner Gesellschaft zu zeichnen, die »klägliche Stümpereien« und »platte Nachahmungen Daudetscher Vorbilder« seien. »Was Fontane so auszeichnete, und was außer ihm nur noch zwei Schriftsteller besitzen – ›der eine ist Kretzer[19]‹, der andere unser alter lange verkannter Alexis[20] – das war seine Kunst, das spezifisch Berlinische in Tonfarbe, Stimmung und Zeichnung der Charaktere auszudrücken, die Fähigkeit, soziale, ethnologische Typen zu schaffen. Diese Kunst bewährt er in allen seinen Werken, in Cécile, in dem herrlichen Roman ›Irrungen, Wirrungen‹, einem Meisterwerk von unvergleichlicher Frische [...].«

Später kommt Alberti auf Fontanes neuesten Roman zurück: »In ›Irrungen, Wirrungen‹, einem der besten Romane, den wir in deutscher Sprache haben, handelt es sich um das Verhältnis eines Offiziers zu einer kleinen Bürgerstochter. Auf keiner Seite ist irgend eine tiefere Empfindung im Spiele – sie hat schon vor ihm ein Verhältnis gehabt, er löst das Verhältnis, heiratet ein reiches, artiges, hübsches, dum-

18 Oskar Blumenthal (1852–1917), Berliner Unterhaltungsdramatiker (aus der deutsch-französischen Schule Paul Lindaus), 1875–87 Theaterkritiker am »Berliner Tageblatt«, Gründer des Lessing-Theaters (1888).

19 Max Kretzer (1854–1941), in der zeitgenössischen Kritik vielfach als »der deutsche Zola« und Begründer des Berliner Romans angesehen. Adalbert von Hanstein (1861–1904) bezeichnete Kretzers »Meister Timpe« (1888) und Fontanes »Irrungen, Wirrungen« als die Meisterwerke des Berliner Romans (Das jüngste Deutschland. Zwei Jahrzehnte miterlebter Litteraturgeschichte, Leipzig: Voigtländer 1900, S. 101).

20 Willibald Alexis, eigtl. Wilhelm Häring (1798–1871), Verfasser historischer Romane vor allem aus der brandenburgisch-preußischen Geschichte, in der zeitgenössischen Kritik (und auch von Fontane, 1873) als »der märkische Scott« angesehen.

mes Ding, mit dem er ausgezeichnet lebt, und sie fühlt nicht das geringste Unglück, sondern verheiratet sich bald darauf mit einem Manne aus dem Volke, der sich über das, was vor der Hochzeit lag, gern hinwegsetzt. Wie erbärmlich ist das alles, wie jämmerlich! Was für Dreckseelen diese ganze Misere, der nichts großes begegnet! aber wie menschlich ist es! wie wahr! Von welch packender Richtigkeit jedes Wort, jedes Gespräch, jede Schilderung! Welche Fülle von Beobachtung, von Kunst, von Feinheit ist auf jeden einzelnen Pinselstrich verwendet! Sprache und Auftreten dieser Leute – von welch täuschender Echtheit! Man meint, das alles selbst mit erlebt zu haben!«

Abschließend stellt Alberti Fontane »als Realist[en], als Erzähler, als soziale[n] Schilderer» neben die »größten Meister« (Turgenjew, Tolstoi, Ibsen, Kielland[21] u. a.), fragt aber: »Wie kommt es, daß er trotzdem in Deutschland wie im Ausland noch nicht ganz den Grad der Anerkennung erreicht hat, auf den ein Künstler von seinem Rang mit vollem Recht Anspruch machen darf, daß seine Werke nicht in Dutzenden von Auflagen verbreitet, nicht in alle lebenden Sprachen übersetzt sind?« Alberti meint, es liege einfach daran, daß Fontane eben zu viel Künstler sei. Es liegt nach Alberti aber auch an dem »Berlinertum«, das »in Deutschland wie außerhalb durchaus nicht so bekannt wie etwa das Parisertum« sei: »So geht der auswärtige Leser mitunter an den feinsten Zügen, die uns Berliner entzücken, achtungslos vorüber, und gewisse Seltenheiten, Besonderlichkeiten, die eben aus dem besonderen Charakter des Berliners entspringen, wirken wohl gar befremdend.« Daher wünscht Alberti, »daß von [zu]ständiger Seite über seine Werke möglichst oft und ausführlich geschrieben und die Schönheiten und Vorzüge derselben möglichst eingehend auseinandergesetzt würden, damit man im Reiche, besonders in Süddeutschland und im Auslande endlich wisse, welch unvergleichlichen Wert diese Erzählungen als Kunstwerke wie als Kulturschilderungen enthalten«.

Conrad Alberti: Theodor Fontane. Ein Festblatt zu seinem siebzigsten Geburtstag. In: Die Gesellschaft, 29. Dezember 1889, 4, S. 1753–60

21 Die vier genannten russischen (Turgenjew, 1818–83; Tolstoi, 1828 bis

Franz Mehring (1846–1919), Leiter der Berliner »Freien Volksbühne« (1892–95) und zwischen 1890 und 1914 der bedeutendste sozialdemokratische Literaturkritiker, veröffentlichte im Jahre 1891 eine Streitschrift »Kapital und Presse«, ein »Nachspiel« zum Korruptionsskandal um den einflußreichen Berliner Schriftsteller und Redakteur Paul Lindau. Im Schlußkapitel »Zur Philosophie und Poesie des Kapitalismus« beschäftigt sich Mehring zunächst mit Nietzsche als dem »Sozial-Philosoph[en] des Kapitalismus« und streift sodann auch Fontanes »Irrungen, Wirrungen«:

»Herr Stephany veröffentlichte vor mehreren Jahren in der ›Vossischen Zeitung‹ den Roman ›Irrungen, Wirrungen‹ von Theodor Fontane, und Herr Paul Schlenther veröffentlichte einige Zeit darauf gleichfalls in der ›Vossischen Zeitung‹ eine höchst lobende Kritik des Romans. Er rühmte an ihm u. A. eine ›Naturwahrheit‹, die ›diesem Werke eine klassische Bedeutung‹ verleiht, und fuhr dann fort: ›Botho und Lene werden eines der weltliterarischen Liebespaare bleiben. Man wird an sie denken, wenn man von der jungen Kaiserstadt spricht, wie man an Ferdinand und Luise[22] denkt, wenn man von den kleindeutschen Residenzen der vorrevolutionären Zeit spricht. Und wenn Ferdinand und Luise vor unglücklicher Liebe sterben, Lene und Botho aber, pflichtgetreu entsagend, am Leben bleiben und sich mit einem Reste von Glück zufrieden geben, so wird man an diesem Liebesvergleich den Unterschied der achtziger Jahre des vorigen und des jetzigen Säkulums herausfühlen.‹ Ja wohl, Herr Schlenther, und wenn Sie nur wüßten, welche bitter-ernste Wahrheit Sie damit ausgesprochen haben! [...]

Botho heirathet [...] die reiche Erbin, ohne daß ihm der Dichter die Pflicht eines Bekenntnisses auferlegt; vielmehr würzt ihm gerade das Geheimniß seiner Erinnerung die etwas langweilige Ehe mit seiner ›dalbrigen‹ Frau. Dagegen als Gideon Franke, ein Vorarbeiter in der Metallfabrik, sich um Lene bewirbt, muß sie ihm nach Dichters Willen ihren Fehltritt bekennen.« In dem ausführlich zitierten Ge-

1910) und norwegischen (Ibsen, 1828–1906; Kielland, 1849–1906) Schriftsteller und Dramatiker zählten zu den großen Vorbildern der Berliner Naturalisten.

22 In Schillers bürgerlichem Trauerspiel »Kabale und Liebe« (1784).

spräch Frankes mit dem Baron sieht Mehring ein »hohe[s] Lied des Kapitalismus«. Und: »Nach welchem Ergusse proletarischen Klassenbewußtseins Gideon Franke die Magdalene Nimptsch vor den Altar führt, unter drastisch geschildertem Gejohle des Pöbels, denn nach Dichters Willen darf Lene keinen Brautkranz tragen. Am nächsten Morgen aber liest die ›gnädige Frau, die Frau Baronin‹ die Heirathsanzeige in der Zeitung und ›dalbert‹ in ihrer Weise über die ›komischen‹ Namen ›Gideon‹ und ›Nimptsch‹. Worauf Botho: ›Gideon ist besser als Botho‹, und mit dieser Pointe à la Kotzebue[23] schließt der Roman.
Das ist denn der Kapitalismus in seinen Dichterträumen. [...] Es kommt wohl vor, daß ein ehrlicher Proletarier eine brave Genossin heirathet, auch wenn sie vorher von einem Schlingel ›aus den höheren Ständen‹ genasführt worden ist, aber wenn besagter Proletarier es für angezeigt findet, sich mit besagtem Schlingel noch persönlich zu befassen, so ›geht es an ein Schädelspalten‹, aber nimmermehr an einen religiösmoralischen Vortrag über die Richtigkeit des siebenten Gebots, über die Unheiligkeit der Ehe und die Heiligkeit des Eigenthums. Gegenüber dieser Utopie des Kapitalismus ist die verwegenste Utopie des Sozialismus noch die nüchternste Urkunde von der Welt.«

Franz Mehring: Werkauswahl. Hrsg. von Fritz J. Raddatz. Darmstadt/Neuwied: Luchterhand 1975. Bd. 3. S. 151–154

Zur Erklärung von Mehrings Polemik gegen Fontane siehe Hans-Heinrich Reuter (1923–78):

»Ausgelöst wurde Mehrings Polemik [...] nicht an erster Stelle durch Fontanes Werk, sondern durch Paul Schlenthers lobende Besprechung in der ›Vossischen Zeitung‹[24] und durch die Tatsache, daß das gleiche Blatt auch den Vorabdruck von ›Irrungen, Wirrungen‹ gebracht hatte. Mehring betrachtete die ›Vossische Zeitung‹ mit Recht als die tonangebende Groß-

23 August von Kotzebue (1761–1819), erfolgreicher Autor von bürgerlichen Familiendramen während der Weimarer Klassik.
24 Mehring bezieht sich auf Schlenthers Geburtstagsartikel in der »Vossischen Zeitung« vom 29. Dezember 1889, nicht auf dessen Rezension in derselben Zeitung vom 1. April 1888, wie sowohl Reuter (Bd. 2, S. 967, 671) als auch Jahn (Aufbau-Ausgabe, V,558) meinen.

macht der Presse der deutschen Bourgeoisie, gegen die er zu Felde zog. Unbekannt mußte ihm sein, daß Wortführer ebendieser Bourgeoisie sich entrüstet über Fontanes Werk geäußert hatten. So ist es zu erklären, daß Mehring dessen Gehalt und Tendenz völlig verkannte, Äußerungen der Romangestalten mit Auffassungen des Dichters gleichsetzte und in dem Ganzen den ›Kapitalismus in seinen Dichterträumen‹ zu erkennen glaubte. Fontane hatte dies ebenso fern gelegen wie irgendeine Utopie. ›Frau Jenny Treibel‹ erschien anderthalb Jahre nach Mehrings Streitschrift; von den zahlreichen Privatäußerungen Fontanes konnte dieser vollends keine Kenntnis haben.« Reuter zitiert aus Fontanes Brief an Georg Friedlaender vom 24. Oktober 1890, in dem Fontane sich zu der Lindau-Affäre geäußert hatte und zu ähnlichen Einsichten wie Mehring gekommen war: »[Man] sieht an einem wahren Musterbeispiel demonstriert, daß alles Schwindel, Clique, Mache ist. [...] Alles wird durch eine Gruppe von Personen bestimmt, die sich durch verschwiegenen Händedruck ›zusammengefunden‹ haben, und ihr Chef ist Lindau. [...] Es ist *überall* dasselbe Prinzip: Ausbeutung.«

Hans-Heinrich Reuter: Fontane. Berlin: Verlag der Nation, München: Nymphenburger Verlagshandlung 1968. Bd. 2. S. 686

Im Jahre 1894 veröffentlichte Theodor Hermann Pantenius (1843–1915), von Fontane geschätzter Romanschriftsteller (vgl. Fontanes Brief vom 1. 8. 1894 an Georg Friedlaender, Kap. II) sowie Redakteur der konservativen Leipziger Zeitschriften »Daheim« und »Velhagen & Klasings Monatshefte«, eine umfangreiche Fontane-Studie in den »Monatsheften«. Pantenius hatte Fontanes Roman »Vor dem Sturm« im Vorabdruck in »Daheim« (1878) veröffentlicht, lehnte aber 1894 den Vorabdruck des Romans »Die Poggenpuhls« ab. Im Rückblick auf das Jahr 1895 schrieb Fontane in seinem Tagebuch: »Sie wurden abgelehnt, weil der Adel in dem Ganzen eine kleine Verspottung erblicken könne – Totaler Unsinn« (Das Fontane-Buch, hrsg. von Ernst Heilborn, Berlin: Fischer 1921, S. 192).

Gegen Ende seines Artikels kommt Pantenius auf »Irrungen, Wirrungen« zu sprechen; seine Kritik ist noch schärfer als die von Adolf Stern und dürfte für die anhaltende Reaktion in konservativen Kreisen auf Fontanes Roman als repräsentativ gelten. Nach einer Rückschau auf die Aufnahme und einer Inhaltswiedergabe des Romans setzt Pantenius mit seiner Kritik ein, indem er die Szenerie der Handlung mit platten und häßlichen Aspekten des Großstadtlebens vergleicht:

»Das ist in der That wirkliches Berliner Leben gewisser Kreise. Aber ist denn damit auch gesagt, daß diese Art Menschen sich irgend dazu eignen, zum Vorwurf poetischer Schöpfungen gemacht zu werden? Es kann doch unmöglich die Aufgabe des Romans sein, uns widerwärtige, völlig poesielose Personen mit vollendeter Wahrheit vorzuführen. Was in der Welt soll uns veranlassen, auch noch von ihnen zu lesen, da wir doch schon genug darunter leiden, ihnen mitunter im Leben begegnen zu müssen? Ein junges Paar, das in heißer Leidenschaft unter dem Zauber von Blütenduft und Nachtigallenschlag die Selbstbeherrschung verliert, kann der Gegenstand unserer innigsten Theilnahme werden, aber ein Lieutenant, der auf einem leeren Bauplatz beim Klange eines aus der nächsten Kneipe herüberschallenden Orchesters mit einem Bürgermädchen ein leidenschaftsloses Verhältnis ›anbändelt‹, das sich dann in ›Hankels Ablage‹ mit gleichgesinnten Kameraden und ihren Dirnen fortspinnt, ist zwar leider mitunter lebenswahr, aber doch wahrhaftig in keinem Sinn anziehend.«

Pantenius hält Fontanes Roman für eine »Verirrung« und versucht sie zu erklären: »Wie Fontane zu dieser Irrung und Wirrung und Verirrung kam? Nun, einen Ansatz zu ihr begegneten wir schon in ›L'Adultera‹. Gerade einem so feinen Beobachter des wirklichen Lebens wie ihm konnte es leicht passieren, daß ihn die Freude, die er an der Schärfe der eigenen Beobachtung unbewußt empfand, vergessen ließ, daß der Gegenstand der Beobachtung gar nicht würdig war.«

Abschließend gibt Pantenius ein Gesamturteil über den Romanschriftsteller Fontane: »Das, was Fontane [...] fehlt, ist der Naturlaut, jene Leidenschaft, die aus dem Herzen des Dichters unmittelbar in das des Lesers überströmt und ihn mit sich fortreißt. Was er uns gibt, ist immer erst durch den Kalkülraum verständiger Erwägung gegangen. Erklärlich genug, wenn man festhält, in welchem Alter er mit dem

Roman begann. Sonst aber ist er ein Erzähler ersten Ranges: er hat die Fähigkeit, lebendige Menschen zu schaffen, und weiß den Leser für sie zu interessieren; seine Menschenkenntnis ist groß, seine Sprache geschmackvoll, sein Dialog geistreich und fein zugespitzt. Gerade Männer lesen seine Dichtungen mit Vergnügen und kehren gern wieder zu ihnen zurück.«

Theodor Hermann Pantenius: Theodor Fontane. In: Velhagen & Klasings Monatshefte, Bd. 8, H. 2 (1893/94) S. 649–656

## 2. *Auflagen und Ausgaben*

Zur Wirkungsgeschichte gehören auch statistische Angaben zu den Auflagen des Romans (vgl. die Hanser-Ausgabe, 2. Aufl., II,906):
Die folgenden Auflagen (nach den drei Ausgaben der ersten Auflage, Kap. V) erschienen bei Friedrich Fontane & Co., Berlin, 1910 bereits die 15. Auflage (21.–22. Tausend). Es wurden ferner gedruckt: 3000 Exemplare für die Ausgabe »Gesammelte Romane und Novellen« (Berlin: Dominik bzw. F. Fontane 1890–92), 5000 Exemplare in der Ausgabe »Gesammelte Werke. I. Serie« (Berlin: Fontane 1905, 1908 und 1912 – davon 2000 als 11. und 12. Auflage, 2000 als 19. und 20. Tausend und 1000 als 23. Tausend).
Zum kommerziellen Erfolg von Fontanes Romanen, vor allem von »Irrungen, Wirrungen«, sei auch auf Fontanes Aufnahme in Fischers »Bibliothek zeitgenössischer Romane« hingewiesen. Vgl. Peter de Mendelssohn: S. Fischer und sein Verlag, Frankfurt a. M.: Fischer 1970, S. 517 f.:

»Fontane war der einzige Romancier der älteren Generation, den Fischer in die ›Bibliothek zeitgenössischer Romane‹ aufnahm. Er repräsentierte die Tradition und Kontinuität, der Fischer sich verpflichtet fühlte; er war ein Wahrzeichen. Indem er mit ihm begann [als erster Band der ganzen Bibliothek erschien im Oktober 1908 Fontanes Roman »L'Adultera«], meldete Fischer zugleich seinen Niveau-Anspruch für das ganze Unternehmen an; der Name verpflichtete und sollte als Verpflichtung verstanden werden. Die zweite Reihe brachte als dritten Band Fontanes *Cécile*, die

dritte wurde mit *Irrungen, Wirrungen*, die vierte mit *Frau Jenny Treibel* eröffnet, und als Fischer in der sechsten Reihe (1914/15) nach einer Unterbrechung mit *Mathilde Möhring* nochmals auf den Altmeister zurückgriff, hatte inzwischen der Sohn Fontanes in der Bülowstraße angefragt, ob der Verlag nicht das Werk des Vaters überhaupt übernehmen und neu herausbringen wolle.
Ein solches Unternehmen war jetzt kein Wagnis mehr. Fischer veranstaltete als erstes 1915 eine fünfbändige, von Schlenther eingeleitete Auswahlausgabe der Romane und Erzählungen, auf die nach dem Ersten Weltkrieg größere Gesamtausgaben folgten. Gerade der so ›unwahrscheinliche‹ Fall Fontane hatte bewiesen, daß seine Voraussicht richtig gewesen war. Mit den billigen Bänden [jeder Band 1 Mark] der Romanbibliothek (von denen *Irrungen, Wirrungen* das 158. Tausend erlebte) war Fontane in Leserschichten eingedrungen, die er auf dem üblichen Weg in Jahrzehnten nicht, wenn überhaupt je erreicht hätte, und mancher dieser neu gewonnenen Bücherkäufer gab jetzt wohl auch zwanzig Mark für die fünf Leinenbände der *Gesammelten Werke* aus, in denen er nun auch alle jene Werke fand, die er noch nicht aus der billigen Bibliothek kannte.«
Mit einer Auflagenhöhe von 158 000 stand »Irrungen, Wirrungen« vor Fontanes anderen in Fischers Bibliothek aufgenommenen Romanen (»Frau Jenny Treibel« 147 000, »L'Adultera« 134 000, »Cécile« 123 000), aber auch vor Hermann Hesses Roman »Unterm Rad« (149 000) und Thomas Manns Novelle »Der kleine Herr Friedemann« (107 000). Die von Mendelssohn aufgeführten Auflageziffern beziehen sich auf den Stand um die Mitte der zwanziger Jahre.
Ulrike Tontsch sieht für die zwanziger Jahre im »Rezeptionsprozeß« Fontanes eine »Phase der Stagnation« (Der ›Klassiker‹ Fontane. Ein Rezeptionsprozeß, Bonn: Bouvier 1977, S. 86):

»1925 gibt die ›Frankfurter Zeitung‹ für die Romane folgende Auflageziffern an: ›Irrungen, Wirrungen‹ 146, ›Frau Jenny Treibel‹ 136, ›L'Adultera‹ 128, ›Cécile‹ 117, ›Effi Briest‹ 93, ›Grete Minde‹ 81, ›Stechlin‹ 74 [»Zur neuen Fontane-Ausgabe«, 18. 12. 1925. Die Ziffern bezeichnen Tausend]. Trotz dieser Auflagenhöhen beklagt ein Kritiker,

Fontane sei nicht genug anerkannt [Notiz zu der Biographie von Heinrich Spiero: Fontane, Wittenberg: Ziemsen 1928, in: Frankfurter Zeitung, 3. 3. 1929], und an anderer Stelle heißt es, wie zu seinen Lebzeiten würden ihn auch jetzt die ›besten Kreise‹ nicht lesen [Otto Lerche: Unser Fontane ›... kommen Sie, Cohn‹, in: Deutsche Zeitung, 29. 11. 1924].«

Der literarische Anspruch Fontanes wird nach Tontsch in dieser selben Phase nur gering eingeschätzt. (S. 88):

»Typisch dafür ist eine in der Berliner Zeitung ›Der Tag‹ wiedergegebene Episode: Die Hausschneiderin bittet die ›Gnädige Frau‹ um ein ›recht schönes Buch‹. Diese überfliegt die Bücher von Strindberg, Ibsen, Keller, Raabe und andere. Da sie aber den literarischen Geschmack der Hausschneiderin ›erheblich anspruchsloser‹ einschätzt, kommt es zu folgender Überlegung: ›[..,] da fallen mir einige gelbe Bändchen ins Auge, unterwegs auf Bahnhöfen gekaufte, und im Abteil durchflogen. Mein Liebling Fontane ist auch vertreten mit ›Irrungen, Wirrungen‹« (Von Fontane und anderen Berlinern. Einer Zeitgenossin nacherzählt von M. B., in: Der Tag, 11. 10. 1924).

Das von Tontsch angeführte typische Beispiel zeigt eine Diskrepanz in der Rezeption von »Irrungen, Wirrungen« in der Öffentlichkeit und in der Forschung, die schon früh die literarische Qualität des Romans anerkannt hat (vgl. die Einleitung zu Kap. III,3).

Zur Wirkungsgeschichte von »Irrungen, Wirrungen« sei ferner auf den Wiederabdruck des Romans in der »Neuen Zürcher Zeitung« (3. 11. 1962 bis 3. 1. 1963) hingewiesen. Dieser Abdruck leitete eine Reihe von Zeitungsabdrucken Fontanescher Romane in den sechziger Jahren ein (vgl. Tontsch, S. 106).

Schließlich ist auf Verfilmungen des Romans, auch besonders in den sechziger Jahren, sowohl in der Bundesrepublik Deutschland als auch in der DDR, hinzuweisen (vgl. Kap. V).

## 3. Die Forschungsliteratur im 20. Jahrhundert

Einen Überblick über die Forschungsgeschichte gibt Charlotte Jolles: »Die Nachwirkung war weniger widerspruchsvoll [als die zeitgenössische Rezeption], und nur der Grad der Wertschätzung mag unterschiedlich sein. Fontane hatte mit diesem Werk seine Meisterschaft erreicht, und die großen ästhetischen Qualitäten des Romans sind schon früh erkannt worden. Zwar gehen die Meinungen über den Ausgang des Romans immer noch auseinander: *Wandrey* (1919) sieht ihn als ›milde Resignation und lächelnder Verzicht‹; *Gerhard Friedrich* (1959) dagegen spricht von Ausweglosigkeit, Ratlosigkeit und Scheitern; *Karl Richter* (1966) bezeichnet ›Irrungen, Wirrungen‹ ausdrücklich als einen tragischen Roman, ›dessen Beklemmendes das konventionelle Urteil mit am wenigsten erkannt hat‹, und auch *Killy* (1963) sieht noch einen, wenn auch verflachten tragischen Vorgang (›Untergang durch die alltägliche Nichtigkeit‹). *Martini* dagegen weist den Begriff des Tragischen ausdrücklich zurück und findet die Lösung in einem ›schmerzlich Sich-Zurecht-Finden‹ und einem ›resignierenden Sich-Einfügen‹ (1970).« Sonst »hat sich die Forschung«, wie Jolles feststellt, »weniger mit der Interpretation abgegeben als mit dem, was Fontane die ›Finessen‹ dieser von ihm besonders geliebten Arbeit nennt[25], nämlich mit der künstlerischen Gestaltung« (Jolles: Theodor Fontane, Stuttgart: Metzler ²1976, S. 69). Daher beschränkt sich die nachstehende Auswahl aus der neueren Forschung auf einige wesentliche Aspekte der Interpretation des Romans.

In seinem Aufsatz »Die Frage nach dem Glück in Fontanes ›Irrungen, Wirrungen‹« (1959) orientiert sich Gerhard Friedrich nicht nur am Ordnungsgedanken (wie die Forschung oft getan hat), sondern auch am Glücksgedanken. Friedrich geht von einem Vergleich des Fontaneschen Romans mit Paul Heyses Novelle »Die Reise nach dem Glück« (1864) aus:

»Während Heyse fragt, wie der Mensch überhaupt glücklich zu werden vermag, richtet Fontane sein Augenmerk auf die Frage, wie es um das Glück der Menschen seiner

25 Vgl. Fontanes Brief an Emil Dominik vom 14. Juli 1887 in Kap. II.

Zeit und seiner Umgebung bestellt ist. Dieser räumlichen und zeitlichen Fixierung entspricht es, daß Fontane seine Figuren auch in ihrer ständischen Gebundenheit aufsucht und darstellt, die bei Heyse in jeder Hinsicht farblos erscheint. [...] Botho und Lene finden in ihrer Liebe ihr Glück. Wenn man die Art dieses Glücks genauer untersucht, ergibt sich, daß es auf eben der Grundlage steht, auf der auch Heyse das Glück seiner Menschen zu bauen suchte.«
Zur Frage, ob Botho in einer Verbindung mit Lene dauerhaftes Glück finden könnte oder nicht, kommentiert Friedrich: »Es ist deutlich, daß es hier [im Gespräch Bothos mit dem Kameraden Rexin über dessen ›Verhältnis‹, Kap. 23] nicht nur um die Einsicht geht, daß die Wirklichkeit stärker ist als die Kräfte des Herzens, daß das Herz die Wirklichkeit nicht zu bewältigen vermag; es geht hier um die viel wichtigere Erkenntnis, daß die innere wie äußere Welt des Menschen wesentlich nicht vom Herzen her bestimmt werden, sondern daß die Wirklichkeit [...] größeres Gewicht für das menschliche Dasein besitzt.« Und anhand von Fontanes verschiedenen Theaterkritiken von Ibsens Dramen stellt Friedrich fest: »Er glaubt nicht mehr daran, daß die freie Herzensbestimmung die alten Ordnungsmächte ablösen und neue Ordnungen setzen könnte. Und dabei ist sicher, daß Fontane hier nicht nur von einem Unvermögen des ersten Standes spricht, sondern die anderen Stände einbezieht.«
Entscheidend aber für die Interpretation des Romans ist nach Friedrich nicht die Suche nach einer allgemeinen Lösung in der bestehenden Ordnung, sondern die Frage nach dem Glück: »Der natürliche Mensch besitzt nicht die Freiheit, sich für oder wider die gesellschaftliche Ordnung zu entscheiden, sondern er ist in einen unaufhebbaren Gegensatz zur Gesellschaft gebracht, den er austragen muß. Wenn Botho nun angesichts der Ausweglosigkeit der Situation in die gesellschaftliche Ordnung zurücktritt, so läßt sich das nicht dahingehend harmonisieren, als habe Fontane hier eine ›positive Lösung gefunden, die von allgemeiner Bedeutung sein konnte‹[26], sondern es ist ein Zustand von höchster

26 Ingeborg Schrader: Das Geschichtsbild Fontanes und seine Bedeutung für die Maßstäbe der Zeitkritik in den Romanen. Limburg: Steffen 1950. S. 53.

Tragik aufgedeckt. Orientiert man sich allerdings bei der Interpretation des Romans [...] immer nur am Ordnungsgedanken, so kann man, da Botho schließlich dieser Ordnung Recht zu geben scheint, in der Tat meinen, Fontane sehe in der Anerkennung eben dieser Ordnung ein Letztes. Orientiert man sich aber zugleich am Glücksgedanken und erkennt man, daß diese Ordnung eben das nicht leistet, was der Sinn einer solchen Ordnung ist, nämlich das Glück der in ihr Lebenden zu ermöglichen und zu verbürgen, so wird deutlich, wie weit Fontane davon entfernt sein muß, im Zurücktreten in die bestehende Ordnung eine allgemeine Lösung zu sehen. [...] Weder im Rückgang auf das Herz, noch in der Bindung an die vorgegebene Ordnung der Lebensverhältnisse gewinnt der Mensch Glück. Die Frage nach dem Glück, wo es möglich ist und wie es errungen werden kann, bleibt ohne Antwort. [...] Das Ende von ›Irrungen, Wirrungen‹ ist eben nicht, wie Wandrey meint, ›milde Resignation und lächelnder Verzicht‹, sondern am Ende stehen Ratlosigkeit und Scheiterung. Man handelt voreilig, wenn man von einer bloßen Vorstellung von Fontanes persönlicher Lebenshaltung oder, schlimmer noch, von jenem fatalen Etikett des ›Heiteren Darüberstehens‹ aus eine Stimmungsdeutung der Romane sucht. [...] Und nur wer diese Spannungen im Auge hat, wird verstehen können, weshalb Fontane sich so schroff gegen Heyse wandte und was er an dessen ›Liebeskatechismus‹ auszusetzen hatte. [...] Bei Fontane gibt es ein solches Bescheid-Wissen nicht mehr. Er fragt mit der gleichen Dringlichkeit wie Heyse nach einem ›Glücks- und Heilsweg‹, aber er findet keine Antwort.«

Gerhard Friedrich: Die Frage nach dem Glück in Fontanes ›Irrungen, Wirrungen‹. In: Der Deutschunterricht, Jg. 11 (1959) H. 4, S. 76–87

In ihren »Untersuchungen zu Fontanes Gesellschaftsromanen« (Untertitel): »Die Sprache als Thema« (1970) interpretiert Ingrid Mittenzwei »Irrungen, Wirrungen« von der Sprachbewußtheit des Romans her. Mittenzwei faßt ihre Ergebnisse so zusammen:

»Er [Fontane] singt nicht sentimental ›das alte Lied‹ von ›viel Freud, viel Leid‹, das er eigens mit seinem Titel verbindet [158,28 f.]; der Roman handelt ja nicht von ›Irrungen Wirrungen‹, sondern von deren Klärung durch die Sprache. Diese Sprache entfaltet sich im Dialog, der sich auch noch des Monologs bemächtigt, und in den sich ›Lebensweisheit‹ nicht nur ›vor der Schulweisheit‹, sondern auch vor dem Gerede flüchtet. Als Prozeß der Aufklärung des Menschen über sich selbst, im Verlauf dessen er sich, über den Entschluß [Lenes], ›sich nichts weismachen [zu] lassen und vor allem sich selbst nichts weis[zu]machen‹ [34,9 f.] und über die Frage [Bothos] ›Wer bin ich?‹ [99,14] zu ›Klarheit und Helle‹ [168,8 f.] durchringt, entspricht ›Irrungen Wirrungen‹ der Forderung Fontanes an die Gattung, der ein Roman dann gerecht wird, wenn er ›Lebensbild‹ ist mit der Konsequenz, daß seine Lektüre ›uns förderte, klärte und belehrte‹ [Fontanes Rezension über Freytags ›Die Ahnen‹, 1875]. Die Menschlichkeit dieses Romans beweist sich im rechten Wort, das der Erfahrung adäquat ist und dem Menschen zu einer geklärten, dieser Erfahrung ihrerseits adäquaten Haltung verhilft. Sie beweist sich darüber hinaus in der Möglichkeit des Menschen [Botho], sich auch einen ironischen Ton – ›Die Türken sind die klügsten Leute‹ [96,2 f.] – zunutze zu machen und bei aller Trauer Traurigkeit zu verhüten. Der Roman, der sich durch seine Sprachbewußtheit als Fontanes bislang kritisch-unerbittlichster erweist, hat, auf Grund eben dieser Bewußtheit, zugleich den größten Schritt zu vollziehen zu der Versöhnlichkeit, in der er dennoch endet. Das hat nichts zu tun mit problemlos-›heiterem Darüberstehen‹, sondern mit der Erkenntnis von der Widersprüchlichkeit der menschlichen Natur und von der Menschlichkeit ihrer Widersprüche. So ist zwar ›Gideon‹, nach Bothos vieldeutigem letztem Wort im Roman, ›besser als Botho‹ [182,11], aber Botho – und nicht zuletzt dieses Wortes wegen – menschlicher als Gideon.«

Ingrid Mittenzwei: Die Sprache als Thema. Untersuchungen zu Fontanes Gesellschaftsromanen. Bad Homburg: Gehlen 1970. S. 110

In der Forschung wird Bothos Frau Käthe fast durchweg als bloße Gegenfigur zu Lene (s. Kap. IV,2), die als Mensch weit hinter Lene zurückbleibe, abgetan. Dagegen arbeitet Horst Schmidt-Brümmer (1971) die erzählerische

Bedeutung der Käthe-Figur heraus, indem er der perspektivischen Auffächerung dieser Figur im Roman nachgeht:

»Daß auch während des fortgeschrittenen Verlaufs der Erzählung die Formen der ersten Erwähnung besondere Aufmerksamkeit verdienen, kann im Hinblick auf ›Irrungen Wirrungen‹ vor allem die Einführung Käthes bestätigen. Die Art, in der auf sie zum ersten Mal im Roman bezuggenommen wird, belegt zudem noch einmal deutlich, daß keine Figur im Zeitroman eigentlich für sich steht, sondern von vornherein und ständig schon in bestimmten und für die Thematik aufschlußreichen Konstellationen. Aus dieser an der Form ihrer Bezeichnungen jeweils ablesbaren Bezogenheit ergibt sich erst die Vielfalt der erzählerischen Funktionen, die die einzelne Figur dem Leser eröffnet. [...]
Die erzählerische Behandlung dieser Figur verdient deshalb besondere Beachtung, weil hier in paradigmatischer Weise der Zusammenhang von ›Charakter‹ und ›Geschichte‹, von Figur und Thema am Perspektivismus der Namengebung einsichtig wird. Obwohl es sich nach der Bemerkung Ostens[27] im 7. Kapitel bei ihr nicht eigentlich mehr um eine weiterhin durchgehaltene Aussparung und Verzögerung ihres Namens handelt, gewinnt doch gerade Käthe durch die Vielfalt der sie betreffenden Bezeichnungen ihre erzählerische Gestalt und thematische Bedeutung. Ihr gesellschaftlicher Rang ist sozusagen schon mit der Anzahl und Variationsbreite ihrer Bezeichnungen begründet. [...]
Die perspektivische Auffächerung der Figur, die Käthe zum Spiegel für die Reflexe zeitbestimmter Erwartungen macht, ist wiederum ein Argument dafür, daß der Leser sie nicht als Gegenfigur zu Lene auffassen soll, so als habe Fontane hier einen Wertunterschied zwischen beiden Figuren suggerieren wollen. Dem Vorbehalt gegen eine negative Bewertung Käthes widersprechen auch nicht die später folgenden Bezeichnungen für sie: ›reizendes Geschöpf‹ [131,26], ›seine schöne junge Frau‹ [162,15], ›reizende Berliner Dame‹ [169,3], Bothos Anrede ›Puppe, liebe Puppe‹ [172,20] und die Standardformel ›reizende kleine Frau‹ [129,34; 141,28 f.; 168,20]. Die erzählerische Bedeutung der Käthe-Figur ist von der Art ihrer perspektivischen Darstellung nicht abtrenn-

27 Osten sagt: ›deine Käthe‹ (46,3).

bar, die ständig neue Durchblicke auf das Problem der Möglichkeit und Unmöglichkeit menschlicher Beziehungen im Widerspiel gesellschaftlicher Ansprüche eröffnet. Und gerade die auftretenden Bezeichnungsformen sind es ja, die diese Zusammenhänge zwischen Figurenkonzeption und Erzählthematik erschließen. Wäre Käthe nur eine alberne Person, würde das nicht allein dem Botho-Lene-Verhältnis die letzte Tiefe nehmen, sondern vor allem die erzählerische Gewichtsverteilung und die thematischen Bezüge vereindeutigen.
In seiner Beziehung zu Lene läßt Botho eben jene Dimensionen und Maßstäbe unberücksichtigt, wie sie hier in den Etikettierungen für Käthe vorgeführt werden. [...] Was die Offiziere an Käthe taxieren, ihre Familie, ihre ›Erfahrung‹ und ihren Reichtum, interessieren Botho an Lene nicht. Gleichwohl schließt sein persönliches Interesse an ihr die Dauer der Beziehung aus. Es bleibt an die Episode gebunden.
Erst die Auffassung der ›Eigenschaften‹ als zeitbedingte Anforderungen und Erwartungen, mit denen der Einzelne rechnen muß, gibt den Bezeichnungen für Käthe ihre thematische Begründung. Deshalb stellen sie die Figur weder in einen abstrakt-moralischen noch in einen eindeutig gesellschaftskritischen Horizont.*«

Horst Schmidt-Brümmer: Formen des perspektivischen Erzählens: Fontanes ›Irrungen Wirrungen‹. München: Fink 1971. S. 151–155

In Auseinandersetzung mit der Forschung untersucht Cordula Kahrmann (1973) Bothos Verhältnis zu den Normen und Formen seines Standes sowie seine idyllische Vorstellung vom vierten Stand:

»Die Sekundärliteratur hält Botho gegenüber seinen Standesgenossen für vergleichsweise ›echt und natürlich‹. Den ›Sinn für das Natürliche‹, den er sich selbst zu bescheinigen

* Auch W. Killys Aussage, daß die Wiederholung bestimmter Ausdrücke für Käthe sie ›zum Objekt fachmännischer Betrachtung‹ mache, die ihr ›die Individualität‹ nehme, von der Lene so bestimmt sei, vereindeutigt das konfigurative Verhältnis der beiden Figuren im Kontext des Romans. Die offensichtliche Taxierung schließt nicht aus, daß mit ihr auch Züge angespielt werden, die in einer dauernden menschlichen Beziehung Gewicht haben. [. . .]

pflegt, spricht sie ihm denn auch ohne Einschränkung zu. Zum Beweis wird meist die Passage herangezogen, in der Botho den Konversationsstil einer ›Herren- und Damenfête‹ [22,14 f.] parodiert. Über die Unterhaltungen bei solch ›redensartlichen‹ Gesellschaften sagt Botho: ›[...] eigentlich ist es ganz gleich, wovon man spricht, [...] Und „ja" ist geradesoviel wie „nein" [25,25 ff.]. Als positiven Kontrast zu diesen Gesellschaften führt er ausgerechnet seinen ›Klub‹ an, dessen Jargon (Kapitel 8) aber gerade als prototypische Sphäre anzusehen ist, von der Botho durch seine Parodie angeblich kritischen Abstand nimmt. In diesem Widerspruch ist die Sekundärliteratur mit ihrer These von Bothos relativer ›Natürlichkeit‹ befangen, ohne ihn allerdings überhaupt zu sehen, geschweige denn aufzulösen. – Außerdem ist zu beachten, daß Botho über den Klub durchaus in eben diesem Klubjargon spricht: ›Und im Klub ist es wirklich reizend‹ [26,4 f.]. Dort werden nämlich verwandte Wendungen benutzt: ›[...] und [Käthe] war der reizendste Backfisch, den Sie sich denken können‹ [52,11 f.]. Dieses Vokabular selbst bestimmt dann, gegen Ende der Parodieszene, Bothos Huldigung auch an Lene: ›Das aber paßte Botho gerade, der, als die Musik drüben wieder anhob, mit Lene zu walzen und ihr zuzuflüstern begann, wie reizend sie sei, reizender denn je‹ [27,8–11].

Bothos Verhältnis zu den Normen und Formen seines Standes ist also komplizierter, als es die Sekundärliteratur bisher herausgearbeitet hat. Die Parodie zeigt, daß es zwar die Konventionen, nicht aber seine eigene Befangenheit in ihnen reflektiert. Als in Hankels Ablage seine Freunde mit ihren Damen erscheinen, heißt es: ›Botho sah, welche Parole heute galt, und sich rasch hineinfindend, entgegnete er, nunmehr auch seinerseits vorstellend, mit leichter Handbewegung auf Lene: „Mademoiselle Agnes Sorel"‹ [85,7–10]. Nicht von ungefähr fällt auch in dieser Umgebung wieder das Stichwort ›reizend‹: In Lenes Abwesenheit benutzt es Botho in der Unterhaltung mit dem Wirt [74,16], und seine Freunde beschreiben damit ihren Spaziergang [85,27]. Dieses Wort hat eine ähnliche Funktion wie ›heiter‹ in Graf Petöfy: Es kennzeichnet weniger das Objekt als eine Haltung des Subjekts. Der Reiz, für den Botho eine gewisse Sensibilität besitzt, die ihn tatsächlich von den anderen Figuren seines

Milieus unterscheidet, ist der des jeweils ›Anderen‹. Als er Gideon Franke erzählt, ›wie's kam‹ [143,37], lautet sein erstes Urteil über Lene, ›daß sie anders war als andere‹ [144,10]. Diese formale Bestimmung deckt sich für Botho vorwiegend mit der Vorstellung der Natürlichkeit. [...] Aus Bothos Perspektive ist also Lenes Milieu natürlich, insofern es anders als sein eigenes ist. Daraus ergeben sich für die Interpretation die Fragen nach dem begrifflichen Inhalt dieser Kategorie, nach ihrer Position im Wertsystem des Romans und nach ihrer Anwendbarkeit auf den ›vierten Stand‹. [...]

Die Formulierung ›kleine Dinge‹ [vgl. 100,22] bezeichnet die unbewußte Optik Bothos: Das ›andere‹ Milieu erscheint samt den ihm zugesprochenen Werten als Komplex aus kleinen Dingen. Auf diesen unreflektierten Manipulationen, die Distanzierung und Harmonisierung ermöglichen, beruht Bothos idyllische Vorstellung vom vierten Stand. Deshalb wird ihm ›Natürlichkeit‹ zum quasi kulinarischen Prinzip.

Als solches expliziert es Botho mehrfach am Detail. Er parodiert z. B. nicht nur den Konversationsstil seiner eigenen gesellschaftlichen Sphäre; in der gleichen Szene folgt eine Imitation der Gärtnersfrau (›weil's ihr so geschuddert hat‹ [28,6]). An anderer Stelle bezeichnet er die Dörr als ›bloß komische Figur‹ [66,28]. Bothos unverbindliche Distanz zu ihrem Milieu wird entlarvt, wenn er Frau Dörr ›unter Menschen‹, d. h. hier in Hankels Ablage, eine ›Verlegenheit‹ nennt. Daran zeigt sich, daß er von Käthe, seiner späteren Frau, deren bevorzugte, gleichfalls kulinarische Kategorie ›komisch‹ ist, selbst nur graduell, nicht aber qualitativ unterschieden ist, obwohl er ihre sprachliche Geste, genau wie den Klubjargon, als Symptom einer Haltung durchschaut. In einer idyllischen Situation benutzt der Erzähler das Bild der Mattscheibe für Bothos kulinarisches Verfahren, das hier den idyllischen Zustand erst auslöst. Das Bild akzentuiert die Unverbindlichkeit im Sinne des fehlenden Engagements: [39,10–14]. [...]

Zudem ist die spezifische Redeweise des ›anderen‹ Milieus nicht, wie Botho meint, natürlich: Der Jargon der Dörr z. B. hat die ›Redensartlichkeit‹ und die Verlegenheit schaffende Anzüglichkeit [55,24–35] – die bezeichnenderweise auch im Arbeiter-Idyll erwähnt wird [102,21] – mit dem Klub

gemeinsam. [...] Die idyllisch geprägte Andersartigkeit im Bereich des vierten Standes erweist sich also als Produkt von Bothos Perspektive. Im Faktischen selbst überwiegen gerade die vergleichbaren Züge. Auch durch symbolische Raumelemente sind beide Sphären einander angenähert: Bothos Schloß Zehden hat einen ›Küchengarten‹ [31,32 f.], an den Botho beim Gang durch die Dörrsche Gärtnerei erinnert wird, deren Hauptgebäude wiederum das ›Schloß‹ heißt.
Die einzige Ausnahme im ›anderen‹ Milieu bildet Lene, obwohl Botho es ironischerweise gerade durch sie repräsentiert findet. Sie gehört diesem Milieu quasi zufällig an und darf daher nicht ohne weiteres mit ihm gleichgesetzt werden.«

Cordula Kahrmann: Idyll im Roman: Theodor Fontane. München: Fink 1973. S. 155–161

Aus literatursoziologischer Sicht argumentiert Carin Liesenhoff (1976), daß man Fontanes Romane in direktem Zusammenhang mit der Trivialliteratur der Zeit sehen müsse, um ihnen gerecht zu werden. Dabei unterscheidet Liesenhoff zwei Ebenen, eine produktionsästhetische und eine rezeptionsästhetische:

»Von der rezeptionsästhetischen Perspektive her wurde zwischen der Hochliteratur und der Trivialliteratur in dieser Zeit keine strikte Unterscheidung getroffen. In den unterhaltenden Zeitschriften findet sich die gehobene Literatur (also Keller, Fontane, Storm, etc.) neben der Trivial- und Erfolgsliteratur der Zeit, und beide Literaturen werden ohne Unterschied vom bürgerlichen Lesepublikum rezipiert. [...]
Aber auch auf der produktionsästhetischen Ebene läßt sich die Hoch- und Trivialliteratur der Zeit nicht strikt voneinander trennen. Wird gemeinhin die Trivialliteratur von der gehobenen Literatur dadurch unterschieden, daß jene affirmativen, diese innovativen Charakter hat, so dürfte sich diese Unterscheidung für die deutsche Literatur des neunzehnten Jahrhunderts nicht aufrechterhalten lassen. [Es] bestand ein zu enges Kommunikationsnetz zwischen bürgerlichem Publikum – Autor – Verleger und [...] die Autoren der gehobenen Literatur [waren] den bürgerlichen Orientie-

rungsmustern noch zu sehr verpflichtet, als daß sie eine ›emanzipatorische‹ oder esoterische Kunst hervorgebracht hätten. Unterschiede zwischen Trivialliteratur und gehobener Literatur dieser Zeit liegen nicht auf der thematischen und stofflichen Ebene, sondern einzig in der Erzählhaltung, der Art der Darbietung und der sprachlichen Mittel. So lassen sich der Trivialliteratur illusionistische Mittel zuordnen, mit denen sie Fluchthilfe, Konsolation und emotionalen Aufruhr des Lesers evozieren, und der gehobenen Literatur desillusionistische Mittel, vor allem die der Rollendistanz, der Ironie und des Humors.«

Diese Unterschiede auf der produktionsästhetischen Ebene zeigt Liesenhoff am Beispiel des Romanausgangs von »Irrungen, Wirrungen«, den sie mit den letzten Zeilen aus Marlitts Roman »Goldelse« (1866) vergleicht:

»Der Romanausgang im Sinne des gesellschaftlichen Status quo und die Doppelhochzeit als ›doppeltes happy end‹ tragen nach Art Fontanescher Romane ambivalenten Charakter. Als unerläßliches Repertoire eines jeden Trivialromans konnte der zeitgenössische Leser mit dieser Lösung zufrieden sein. Aber die Anleihe an die Trivialliteratur darf nicht darüber hinwegtäuschen, daß beide Ehen fade, aus Konvention, Pragmatismus und Standeserwägungen heraus geschlossene Ehen sind. Auch die Schlußszene soll auf doppelbödig-ironische Weise trivial sein. Der Roman endet mit einer der ›üblichen‹ Frühstücksszenen zwischen Botho und Käthe, die gerade ihrer Lieblingsbeschäftigung nachgeht, dem allmorgendlichen Durchgehen der Verlobungs- und Hochzeitsanzeigen. [...] Mit dem Gekicher und dem Amusement Käthes über die so wenig vornehmen Namen klingt der Roman aus. Doch bevor der Snobismus der feinen Gesellschaft das letzte Wort behalten soll, kündigt sich ein leises Fragezeichen an, wenn Botho den letzten Satz des Romans spricht: ›Was hast du nur gegen Gideon, Käthe? Gideon ist besser als Botho.‹

Um die epische Geschlossenheit der Romane Fontanes und ihre sprachliche Verhaltenheit trotz der trivialen Motive zu würdigen, nehme man als Kontrastfolie zu Fontanes Roman den Romanschluß eines x-beliebigen Trivialromans der Zeit, beispielsweise die letzten Zeilen des Romans ›Goldelse‹, mit dem die Marlitt ihren ersten Ruhm begründete. Der

Roman endet mit dem unumgänglichen happy end zwischen einem Bürgermädchen, der ›Goldelse‹, und einem Adligen, Rudolf von Walde. Nach dem gängigen Schema der Trivialromane der Zeit wird gegen Ende des Romans Goldelses adlige Herkunft durch zufällig aufgefundene Dokumente entdeckt. Diese Figur aber verweigert aus Bürgerstolz die Annahme des adligen Namens, der durch Jahrhunderte hindurch ›von Blut und Sünde befleckt‹ ist. Der ›idealen‹ Heldin steht mit Rudolf von Walde der ›ideale‹ Held gegenüber, der in Enttäuschung und Verbitterung über seine bigotte, dekadente, in Standesdünkeln befangene Familie immer wieder in ›die weite Welt‹ geflohen ist, bis er in Goldelse nach jahrelangem Rasten und jahrelanger Einsamkeit seine ideale Lebensgefährtin findet, ›ein Wesen im Besitze eines reichen und reinen Herzens, das kein Verständnis [...] für die Vorteile des Ranges und Reichtums [hat] und sich ihm, nur ihm, ohne jedwede Nebenrücksicht hingibt‹. Die letzten Zeilen des Romans bringen die Nachricht von der Verlobung zwischen Goldelse und Rudolf von Walde, die ein Freund der Familie mitteilt:
›„Frau, freue dich mit mir!" rief er mit strahlendem Gesichte schon vor der Türe. „Lindhof bekommt eine Herrin, und was für eine! [...] Goldelse, die schöne Goldelse wird's, hörst du, mein Schatz? [...] Nun wird's wieder hell und sonnig draußen! Der gesunde Gedanke siegt, und der finstere Geist, der auf die armen Menschenseelen einen wahren Mehltau geworfen hatte, entflieht – [...] Die Verlobungsanzeige ist wie eine Bombe in unsere gute Stadt gefallen. [...]" Will der Leser einen Zeitraum von zwei Jahren überspringen und noch einmal an unserer Hand die Gnadecker Ruinen betreten, so führen wir ihn auf den Windungen einer breiten, schönen Fahrstraße den Berg hinauf vor das Schloßtor [...]. Wir gedenken fröstelnd des kalten, feuchten Hofraumes hinter diesem Haupttore, den düstere Kolonnaden an drei Seiten einschließen, während die oberen Stockwerke die mörderische Absicht zeigen, auf uns herabzustürzen. [...] Mit diesen Vorstellungen läuten wir. Auf den tiefen Klang der Glocke öffnet alsbald eine frische, kräftige Magd den schweren Torflügel und bittet uns, einzutreten. Wir aber weichen wie geblendet zurück, denn aus der Türöffnung quillt uns ein Licht- und Farbenstrom ent-

gegen. Die Ruinen sind verschwunden [...]. An jeder Seite blitzen neue Fenster; Ferber hat das Haus um vier Zimmer erweitern lassen, denn der Oberförster will, wenn er sich ins Privatleben zurückzieht, mit Sabine da droben wohnen. [...] Er hat die schlimme Erfahrung mit Bertha verschmerzt und sonnt sich in Elisabeths Glück, das ihm anfangs wunderbar genug vorkam [...]. Nicht etwa, daß er gemeint hätte, es sei zu außerordentlich für seinen kleinen Liebling – er hätte wohl die höchste Krone der Erde auf Elisabeths reiner Stirn als ganz an ihrem Platze gefunden – es war ihm nur sehr verwunderlich, das junge Wesen „mit den quecksilbernen Füßen und dem sonnigen Gesichte" so hingebend an der Seite des ernsten, gereiften Mannes zu sehen. Elisabeth ist glücklich in des Wortes höchster Bedeutung. Ihr Mann betet sie an, und sein Ausspruch ist wahr geworden: jener Ausdruck von Melancholie und Strenge scheint für immer von seiner Stirne gewichen zu sein. Sie blickt in diesem Augenblick glückselig auf das zarte Wesen in ihrem Arme und dann hinunter ins Tal, wo er bald über den Kiesplatz schreiten und heraufeilen wird, um sie und das Kleine abzuholen. [...]‹
Der Unterschied zwischen Fontane und der Marlitt kann nicht auffallender sein. Wo Fontane Triviales als bewußtes Stilprinzip einsetzt, gerinnt dies der Marlitt zur sentimentalen Verklärung. Die Sprache entgleitet mit zahlreichen Adressen an den Leser, immer wieder in Kitsch und kontrastiert in Schwarzweiß-Malerei das ›Reine‹ und ›Tugendhafte‹ der Goldelse mit der dunklen Vergangenheit. In Entsprechung zu dem ans Überirdische grenzenden Charakter der Goldelse und ihrem ›sonnigen Gesichte‹ wird auch ihr Milieu durch die Attribute des Glanzvollen und Lichten gekennzeichnet.«

Carin Liesenhoff: Fontane und das literarische Leben seiner Zeit. Eine literatursoziologische Studie. Bonn: Bouvier 1976. S. 72 f., 90–92

# IV. Texte zur Diskussion

## *1. Gesellschaft und Menschlichkeit in Fontanes Roman*

In seiner Monographie »Theodor Fontane. Soziale Romankunst in Deutschland« arbeitet Walter Müller-Seidel die gesellschaftlichen Bezüge in »Irrungen, Wirrungen« heraus, er sieht aber den Kern des in gesellschaftlichen Gegensätzen hervortretenden Konflikts in dem Gegenüber von Gesellschaft und Menschlichkeit, »einer Gesellschaft, wie sie ist, und einer natürlichen Menschlichkeit, wie sie sein sollte« (S. 261). Die Grundzüge von Müller-Seidels Interpretation seien hier zur Diskussion wiedergegeben:

»Es war mit Gewißheit nicht seine [Fontanes] Absicht, Klassengegensätze, Klassenkonflikte oder Klassenkämpfe in ihrer realhistorischen Bedeutung zu behandeln und womöglich nach Lösungen zu suchen, die man bei der Vertracktheit der Verhältnisse von einem Politiker kaum erwarten konnte, von einem Schriftsteller noch weniger. Er behandelt überdies Standesgegensätze – keine Klassenkämpfe. Die Unterschiede im Sprachgebrauch – zwischen Stand und Klasse – sind nichts Nebensächliches [Müller-Seidel beruft sich auf Max Weber]. Unterschiede des Standes sind gegenüber dem, was Klassen voneinander trennt, weniger schroff. Sie bezeichnen den Status, dem man sich zugehörig weiß, in ›Symbolen‹, die wie das Duell, trotz Kampfunfähigkeit und Tod, etwas am Ende Belangloses darstellen. Im Kampf der Klassen gegeneinander werden ›existentielle‹ Lebensrechte vertreten oder zu verbessern gesucht. Die Hervorkehrung des Standes dient häufig nur der ›Verschönerung‹ des Daseins: man legt Wert darauf, etwas zu sein; man betont die Statussymbole, die an sich nichts Lebensnotwendiges sind. Die Kämpfe im Duell als Symbole solch statusbewußten Denkens sind ›bloß‹ symbolische Kämpfe. Klassenkämpfe – berechtigt oder nicht – haben einen derart nur symbolischen Sinn nicht. Standesunterschiede sind vielfach unverbindlich; Klassenkämpfe werden mit Entschiedenheit und Erbitterung geführt. Daher können die Standesunterschiede auch innerhalb eines Standes hervortreten. ›Jeder Stand hat seine Eh-

re‹, heißt es bezeichnenderweise in ›Irrungen, Wirrungen‹ [21,14 f.]. Fontane ist in erster Linie an *solchen* Unterschieden interessiert. Seine ›Interessen‹ sind daher weit mehr gesellschaftlicher als allgemein politischer Art. Die Klasse der arbeitenden Menschen und die Nöte dieser Menschen sind ihm gewiß nichts Nebensächliches gewesen, weil menschliche Not einem Schriftsteller niemals etwas Nebensächliches sein kann. Es gibt aber vielerlei Not, und man muß einem freien Schriftsteller schon selbst die Wahl seiner Themen überlassen. Man darf ihn nicht nach Intentionen beurteilen, die außerhalb seiner erzählten Geschichten liegen. [...]
Es handelt sich dabei nicht um beliebige Standesunterschiede, sondern um solche zwischen den geordneten Verhältnissen einer Ehe einerseits und einem freien Liebesverhältnis zum andern. Das vor allem Anstößige in der zeitgenössischen Rezeption betrifft den Umstand, daß es jemand gewagt hat, offen zu erzählen, was ›man‹ allenfalls heimlich tut, ohne darüber öffentlich zu sprechen. [...]
Aber zumal an solchen Formen zeitgenössischen Standesbewußtseins wird sichtbar, daß es sich nicht nur um belanglose Symbole handelt, sondern um Standesunterschiede, die in sozialgeschichtlicher Hinsicht nichts Bedeutungsloses sind. Die Offiziersdamen, die das vermeintliche Liebesidyll in Hankels Ablage stören, liefern das Modell. Ihr ›Verhältnis‹ ist eines auf Zeit. Liebe wird zur Liebelei [...]. Soziale Unterschiede, Unterschiede des Standes, sind eine Voraussetzung solcher Verhältnisse auf Zeit. [...]
Aber auch das freie Liebesverhältnis, durch Standesunterschiede begünstigt, ist nicht das Ziel, das sich unsere Erzählung gesetzt hat. Diese Unterschiede sind [...] nur der Wagen, mit dem man fährt. Denn freie Liebe, die durch gesellschaftliche Rücksichten nicht eingeengt wird, kann gegenüber Ordnung, Sitte und Moral etwas Menschliches sein. Wo sich Menschen unmittelbar als Menschen begegnen, haben gesellschaftliche Rücksichten keine Geltung. Dagegen sind Standesunterschiede in jedem Fall gesellschaftlich bedingt, und als diese sind sie Fontane wichtig. Es gibt sie überdies in allen Ständen, und die in der Erzählung selbst geäußerte Redensart – ›Jeder Stand hat seine Ehre‹ – besteht zu Recht. [...] In ›Irrungen, Wirrungen‹ geht es um ein solches in allen Ständen zu beobachtendes Standesbewußt-

sein; und das intimste Verhältnis unter Menschen in Ehe oder freier Liebe ist nur das geeignete ›Demonstrationsobjekt‹ – mit dem Ziel, die den Menschen einengende Gesellschaftlichkeit noch in einem Bereich zu zeigen, in dem sie eigentlich nichts zu suchen hat. [...]
Es kommt dem Erzähler sichtlich nicht ausschließlich auf Hervorkehrung von Standesunterschieden an, sondern gleichermaßen auf das, was in den verschiedenen Ständen ähnlich oder vergleichbar ist. Dieser Erzähler ist auf seine Art an einer gewissen Gleichmacherei interessiert. [...]
Wie auch sonst ist Komik das wirksamste Mittel zur Darstellung von Gleichmacherei. Wenn alle Menschen komisch sind, wenn es Komik in allen Klassen und in allen Ständen gibt, dann sind die Menschen wenigstens in diesem Punkt einander gleich, und alle Standesgrenzen erledigen sich von selbst. [...]
Der Ausdruck des Natürlichen als ein Ausdruck des Menschlichen wird eingeengt in dem Maße, in dem Komik dominiert. Eine Tendenz zu reduzierter Menschlichkeit ist damit verbunden. [...] Damit gelangt etwas ›Jederzeitliches‹ in die dargestellte Zeitlichkeit. Über alle zeitbedingten Standesgegensätze hinweg geht es um Gesellschaftlichkeit in allen Ständen und damit zugleich um das, was die Menschlichkeit des Menschen einengt und reduziert. [...]
Nicht Adel und Kleinbürgertum, auch nicht eheliche Ordnung oder freie Liebe sind die Konflikte, die hier ausgetragen werden. Der in solchen Gegensätzen hervortretende Konflikt ist einer zwischen Gesellschaft und Menschlichkeit – zwischen einer Gesellschaft, wie sie ist, und einer natürlichen Menschlichkeit, wie sie sein sollte. [...] Daß beides gilt und gelten muß – die Ordnungsmächte ebenso wie die freie Herzensbestimmung – bezeichnet die Antinomie, als die der Konflikt dieser Erzählung zu verstehen ist. [...] Gesellschaftliche Ordnungsmächte und freie Herzensbestimmung sind die zwei Seiten einer Sache. Sie konstituieren im Zusammentreffen die Struktur des Konflikts. Dargestellt sind beide Seiten in zwei Personen, und die Personen des Romans, die solche ›Mächte‹ verkörpern, heißen Botho und Lene.«

Walter Müller-Seidel: Theodor Fontane. Soziale Romankunst in Deutschland. Stuttgart: Metzler 1975. S. 253–261

## 2. Lene, die Frauenfrage und Feministenkritik

Müller-Seidel setzt sich der marxistischen Interpretation von Lene entschieden entgegen und hält sie dagegen für »ein Wesen sui generis«, »eine soziologische Konstruktion«:

»Wir müssen der Auffassung widersprechen, daß Fontane in Lene Nimptsch eine Proletarierin habe darstellen wollen, oder daß man sie auch ohne sein Wollen so zu verstehen habe. Ihre Person sei ein Triumph des Plebejisch-Volkhaften, meint Georg Lukács [Deutsche Realisten des 19. Jahrhunderts, Berlin: Aufbau-Verlag 1952, S. 302 f.]. Aber das trifft so nicht zu. Wie sehr Fontane als Erzähler diese Figur auch ausgezeichnet hat – nicht obwohl, sondern weil sie niederen Standes ist – kann nicht zweifelhaft sein; aber ebenso wenig, daß mit dieser Auszeichnung keine Lösung des gesellschaftlichen Konflikts erreicht wird oder erreicht werden soll. Es geht nicht um das, was diese Mädchengestalt aufgrund ihres Standes oder ihrer Klasse ist, sondern was sie menschlich ist. Dieses Kind armer Leute ist soziologisch gesehen ein Wesen sui generis. [...] Wie Lene das ›Verhältnis‹ beurteilt und einschätzt, wie sie den Konflikt auf ihre Weise erfaßt, kommt sie uns wie eine Nachfahrin der Luise Millerin vor, deren Bewußtheit sich allen soziologischen Kategorien recht eigentlich entzieht. Unter den Romanfiguren Fontanes ist sie eine der gelungensten, die er je geschaffen hat. [...] Sie repräsentiert keine Klasse; daher hängt auch von einer solchen das Entscheidende nicht ab.«

Müller-Seidel, S. 266 f.

In ihrer ausführlichen Rezension setzt sich Renny Harrigan vom marxistischen sowie feministischen Standpunkt aus mit Müller-Seidels Behandlung der ›Frauenfrage‹ und der Frauengestalten Fontanes auseinander:

"He [Müller-Seidel] considers the 'women's question' of primary importance in the last third of the 19th century, but mistakenly views it as one of education and culture (Bildung) in both academic and non-academic circles (p. 155). He asserts that women are the perplexed and forgotten individuals in history. Men make history; women remain anonymous and devoid of any recognizable individuality

(p. 165). The reflection of this traditional role along with an awareness of its injustice involves a change in Fontane's consciousness which provides Müller-Seidel with his criterion for the emergence of Fontane's social novel. He refuses to discuss the 'women's question' in terms of class conflict; 'the education demanded for women of good houses is a social question' (p. 156). The limits of Müller-Seidel's definition of the 'women's question' are obvious. Even he admits, however, that the worker's question and the women's issue are related to one another and that the history of socialism and the women's movement are connected. That the socialists, as outsiders in society, fought for the rights of all women only reflects a split in society since women from all classes were socialist supporters (p. 157). He finds Bebel's thesis 'remarkable' that the end of matriarchy and the beginning of patriarchy should be linked to the introduction of private property as argued in 'Die Frau und der Sozialismus' (1883). But he does not see fit to mention any of the issues developed by feminists during the last two decades. In fact, an analysis of the works from the perspective of the present is lacking throughout, as if history ended when Fontane wrote the last line of 'Stechlin'.

It is perhaps for these reasons that his discussion of the main conflicts in 'Cécile' and 'L'Adultera', in 'Irrungen, Wirrungen' and 'Stine', in 'Effi Briest' and 'Unwiederbringlich' (Chaps. III, V and VII) remains a bit unsatisfying. The artificial chapter divisions which Müller-Seidel sets up for his argument obscure the real issue: the impalement of women on the three-pronged fork of male-dominated family (and the double standard of its monogamous bourgeois form), male-dominated religion and male control of private property. A share in these powers falls to women by one means alone: sexual liaisons in or outside of marriage and the rearing of children. An inability to understand the sexism resulting from this situation as the main contradiction of female existence leads to some confusing conclusions: [...]

Lene and Stine are seen as poetic constructs rather than 'reflections of reality' (p. 252) from simpler social circles. The depiction of these circles reflects the rise of the bourgeoisie and contains either a direct or indirect criticism of the educated bourgeoisie (Bildungsbürgertum) (p. 252). Müller-Seidel sees the main conflict in both as the human struggle to remain human in a society whose structures are inhuman to all. In contrast, I see the conflict as one between free love and bourgeois marriage. In the same vein, Müller-Seidel conveniently names Widow Pittelkow a figure sui generis rather than a representative of a particular class. One fact escapes the critic: none of these women would have been involved with aristocratic men without the privileges of class and sex which gave the men the opportunity to approach the women. Müller-Seidel betrays his biases in other places as well – Lene's love, praised at one point for its naturalness, is criticized when she discovers she is able to live for the moment since 'it is fitting to human nature to be interested in the duration of love' (p. 265). This rather gratuitous assumption leads him to conclude that the real antinomies in Lene's character would only be avoided in a paradise-like realm outside of society (p. 265)."

New German Critique [University of Wisconsin, Milwaukee] (1976) H. 9, S. 184 f.

# V. Literaturhinweise

## 1. Ausgaben

Vorabdruck

Irrungen, Wirrungen. Eine Berliner Alltagsgeschichte. In: Vossische Zeitung. Königlich privilegierte Berlinische Zeitung von Staats- und gelehrten Sachen. 24. Juli bis 23. August 1887.

Die drei Ausgaben der ersten Auflage (vgl. S. 64 f.)

Irrungen, Wirrungen. Roman von Theodor Fontane. Leipzig: F. W. Steffens [1888].

Irrungen, Wirrungen. Roman von Theodor Fontane. Königsberg: Heinrich Matz [1889].

Irrungen, Wirrungen. Roman von Theodor Fontane. Berlin: F. Fontane [1890].

Gesammelte Romane und Novellen. Bd. 10/11: Irrungen, Wirrungen. Berlin: Fontane 1891.

Gesammelte Werke. Serie 1, Bd. 5: Irrungen, Wirrungen. Berlin: Fontane 1905.

Irrungen Wirrungen. Berliner Roman von Theodor Fontane. Berlin: Fischer 1910. (Fischers Bibliothek zeitgenössischer Romane, Bd. 1, 3. Jg.)

Gesammelte Werke. Eine Auswahl. Einl. von Paul Schlenther. Bd. 3: Irrungen Wirrungen. Berlin: Fischer 1915.

Sämtliche Werke. Hrsg. von Edgar Groß / Kurt Schreinert / Rainer Bachmann / Charlotte Jolles / Jutta Neuendorff-Fürstenau. München: Nymphenburger Verlagshandlung 1959 ff. [Zit. als: Nymphenburger-Ausgabe.] 1. Abt., Bd. 3. S. 95–232: Irrungen, Wirrungen.

Sämtliche Werke. Hrsg. von Walter Keitel. München: Hanser 1962 ff. [Zit. als: Hanser-Ausgabe.] 1. Abt., Bd. 2. S. 319–476: Irrungen, Wirrungen.

Märkische Romanze. Frauenerzählungen. Hrsg. von Hans-Heinrich Reuter. Berlin: Verlag der Nation 1962, [5]1969. S. 233–416: Irrungen, Wirrungen.

Irrungen, Wirrungen. Stuttgart: Reclam 1965 u. ö. (Universal-Bibliothek Nr. 8971 [2].)

Irrungen, Wirrungen. Hrsg. von George W. Field. London/Melbourne/Toronto: Macmillan 1967.

Werke in drei Bänden. Hrsg. von Kurt Schreinert. München: Nymphenburger Verlagshandlung 1968. Bd. 1. S. 319–477: Irrungen, Wirrungen.

Romane und Erzählungen in acht Bänden. Hrsg. von Peter Goldammer / Gotthard Erler / Anita Golz / Jürgen Jahn. Berlin/Weimar: Aufbau-

Verlag 1969. [Zit. als: Aufbau-Ausgabe.] Bd. 5 (bearb. von Jürgen Jahn). S. 7–171: Irrungen, Wirrungen.

Sämtliche Romane, Erzählungen, Gedichte, Nachgelassenes. Hrsg. von Walter Keitel und Helmuth Nürnberger. München: Hanser ²1973. [Zit. als: Hanser-Ausgabe, 2. Aufl.] 1. Abt., Bd. 2. S. 319–476: Irrungen, Wirrungen.

## 2. *Briefe und Dokumente*

Briefe Theodor Fontanes. Zweite Sammlung. [An seine Freunde.] Hrsg. von Otto Pniower und Paul Schlenther. Berlin: Fontane 1910.

Theodor Fontane: Briefe an Georg Friedlaender. Hrsg. von Kurt Schreinert. Heidelberg: Quelle & Meyer 1954. [Zit. als: Briefe an Friedlaender.]

Theodor Fontane: Briefe I–IV. Hrsg. von Kurt Schreinert und Charlotte Jolles. Berlin: Propyläen-Verlag 1968–71. [Zit. als: Briefe (Propyläen).]

Fontanes Briefe in zwei Bänden. Hrsg. von Gotthard Erler. Berlin/Weimar: Aufbau-Verlag 1968. [Zit. als: Briefe (Aufbau).]

Theodor Fontane: Aufzeichnungen zur Literatur. Ungedrucktes und Unbekanntes. Hrsg. von Hans-Heinrich Reuter. Berlin/Weimar: Aufbau-Verlag 1969.

Theodor Fontane: Von Dreißig bis Achtzig. Sein Leben in seinen Briefen. Hrsg. von Hans-Heinrich Reuter. München: Nymphenburger Verlagshandlung ²1970.

Theodor Fontane: Briefe an Wilhelm und Hans Hertz 1859–1898. Hrsg. von Kurt Schreinert und Gerhard Hay. Stuttgart: Klett 1972. [Zit. als: Briefe an Hertz.]

Dichter über ihre Dichtungen: Theodor Fontane. Hrsg. von Richard Brinkmann und Waltraud Wiethölter. 2 Bde. München: Heimeran 1973. [Zit. als: B/W.]

Theodor Fontane: Briefe aus den Jahren 1856–1898. Hrsg. von Christian Andree. Berlin: Berliner Handpresse 1975. (Reihe Werkdruck.)

## 3. *Übersetzungen*

Trials and Tribulations. A Berlin Novel. Translated from the Fourteenth Edition [1907] by Katherine Royce. In: The Harvard Classics. Ed. Charles W. Eliot. New York: Collier & Son 1917. Vol. 15, pp. 301–462.

Errores y Extrarios. Novela de costumbres. Version del Alemán por el Dr. Máximo Asenjo. Leipzig: Tauchnitz 1921.

Dédales. Traduit par Louis Koessler. Paris: Montaigu, Aubier o. J. [1935?]

Irrungen, Wirrungen. [Übersetzt von] Arturo Petronio. Milan 1944.
La serena rinuncia. Titolo originale dell'opera: Irrungen Wirrungen. Nota & Traduzione di Ervina Pocar. Milano: Rizzoli 1966.
A Suitable Match. Translated by Sandra Morris. Glasgow/London: Blackie 1968.
Šach fon Vutenov. Puti-pereput' ja. Gospoža Ženni Trajbel [Schach von Wuthenow. Irrungen, Wirrungen. Frau Jenny Treibel]. Übersetzt von N. Man / S. Fridland / E. Wilmont. Moskau 1971.
Šax von Vuteno. Puti-pereput' ja. Gospoža Ženni Treibel. Mit einem Nachw. von I. Fradkin und Kommentar von N. Bernovskaja. Moskau: Verlag Chudožestvennaja Literatura 1971.
Irrungen, Wirrungen [japanisch]. Übers. von Takeo Ito. Tokeo: Iwanami-Verlag o. J. [1971?]
Touženi souženi [Irrungen, Wirrungen]. Schach von Wuthenow. Pribek z doby gendarmského pluku. Übers. von Kamila Jirondkova. Praha: Svoboda 1974.
Dolingen, Dwalingen. Vertaald door Theodor Duquesnoy; met een nawoord door Hans Ester. Utrecht/Antwerpen: Uitgeverij Het Spectrum 1978.

## *4. Literatur zur Verfilmung und Dramatisierung des Romans*

Literatur zu dramatischen Bearbeitungen findet sich, in Form von Zeitungsrezensionen oder Abzugsverfahren, im Theodor-Fontane-Archiv der Deutschen Staatsbibliothek (Potsdam) und damit entweder im Bestandsverzeichnis dieses Archivs (Literatur von und über Theodor Fontane. Hrsg. von Joachim Schobeß. Potsdam ²1965, Nrn. 2033, 2047, 2048) oder in dessen umfangreicher Zeitungsausschnittsammlung (nach Jahrgängen) verzeichnet. Von diesen Titeln seien hier nur drei angeführt:

Zwei Romane werden ein Film (Irrungen, Wirrungen und Stine). Der fortschrittliche Fontane. In: 12-Uhr Blatt (Berlin), 20. 9. 1944.
Werner Schwemin: Irrungen-Wirrungen auf dem Bildschirm. In: Berliner Zeitung, 3. 2. 1963.
Renate Zuchardt: Irrungen Wirrungen. Fernsehspiel nach Fontanes gleichnamiger Erzählung. Deutscher Fernsehfunk. Dramatische Kunst. Fernsehspiele II. [Berlin-Adlershof 1963.] 133 S. [Abzugsverfahren.]

Ferner sei auf die beiden folgenden Arbeiten hingewiesen:

Karl Friedrich Boll: Über die Verfilmung von Werken Fontanes und Storms. In: Schriften der Theodor-Storm-Gesellschaft, Bd. 25 (1976) S. 61–74. S. 73, Anm. 4: Das alte Lied (1945 Verfilmung von Irrungen, Wirrungen mit Winnie Markus und E. v. Klippstein, Regie: F. P. Buch).

Angelika Gerth: Der dramatisierte Roman Theodor Fontanes im westdeutschen Fernseh-Spiel. Diss. Wien 1972. S. 34–96 (vergleichende Analyse des Romans mit dem Drehbuch der Verfilmung von 1966 durch den Sender Freies Berlin).

## 5. Forschungsliteratur

Anderson, Paul: Game-Motifs in Selected Works of Theodor Fontane. A Study of Literary and Psychological Structures in Late Writings of Theodor Fontane in Terms of Games and Play. Diss. Indiana University 1974. (S. 132–169.)

Attwood, Kenneth: Fontane und das Preußentum. Berlin: Haude & Spener 1970.

Aust, Hugo: Theodor Fontane: ›Verklärung‹. Eine Untersuchung zum Ideengehalt seiner Werke. Bonn: Bouvier 1974.

Bachmann, Rainer: Theodor Fontane und die deutschen Naturalisten. Vergleichende Studien zur Zeit- und Kunstkritik. Diss. München 1962. Dissertationsdruck 1968.

Bange, Pierre: Ironie et dialogisme dans les romans de Theodor Fontane. Grenoble: Presses universitaires 1974.

Betz, Frederick: Die Zwanglose Gesellschaft zu Berlin. Ein Freundeskreis um Theodor Fontane. In: Jahrbuch für brandenburgische Landesgeschichte, Bd. 27 (1976) S. 86–104.

Biehahn, Erich: Ein denkwürdiger Reim. In: Jahrbuch für brandenburgische Landesgeschichte, Bd. 20 (1969) S. 25 f.

Biener, Joachim: Zum Menschenbild und zur Inhalt-Form-Beziehung in Theodor Fontanes Roman ›Irrungen, Wirrungen‹. In: Wissenschaftliche Studien des Pädagogischen Instituts Leipzig (1970) S. 56 bis 58.

Böckmann, Paul: Der Zeitroman Fontanes. In: Der Deutschunterricht, Jg. 11 (1959) H. 5, S. 59–81. Auch in: Preisendanz (1973), S. 80–110.

Brinkmann, Richard: Theodor Fontane. Über die Verbindlichkeit des Unverbindlichen. München: Piper 1967.

Brüggemann, Diethelm: Fontanes Allegorien. In: Neue Rundschau, Bd. 82 (1971) H. 2, S. 290–310; H. 3, S. 486–505.

Croner, Else: Fontanes Frauengestalten. Berlin: Fontane 1906.

Demetz, Peter: Formen des Realismus: Theodor Fontane. Kritische Untersuchungen. München: Hanser 1964.

Devine, Marianne C.: Erzähldistanz bei Theodor Fontane: Untersuchungen zur Struktur seiner tragischen Gesellschaftsromane. Diss. University of Connecticut 1974. (Diss. Abstracts International, Bd. 35, 1974, S. 2262.)

Ester, Hans: Über Redensart und Herzenssprache in Theodor Fontanes ›Irrungen, Wirrungen‹. In: Acta Germanica. Jahrbuch des südafrikanischen Germanistenverbandes, Bd. 7 (1972) S. 101–116.

Ester, Hans: ›Ah, les beaux esprits se rencontrent‹ – Zur Bedeutung eines Satzes in Fontanes ›Irrungen, Wirrungen‹. In: Amsterdamer Beiträge zur neueren Germanistik, Bd. 4 (1975) S. 183–188.

Ester, Hans: Der selbstverständliche Geistliche. Untersuchungen zu Gestaltung und Funktion des Geistlichen im Erzählwerk Theodor Fontanes. Leiden: Universitaire Pers 1975.

Ettlinger, Josef: Theodor Fontane. Ein Essai. Berlin: Marquart 1904.

Faucher, Eugène: Le langage chiffré dans ›Irrungen Wirrungen‹. In: Études Germaniques, Bd. 24 (1969) S. 210–222.

Faucher, Eugène: Fontane et Darwin. In: Études Germaniques, Bd. 25 (1970) S. 7–24; 141–154.

Faucher, Eugène: Farbsymbolik in Fontanes ›Irrungen Wirrungen‹. In: Zeitschrift für deutsche Philologie, Bd. 92 (Sonderheft Fontane, 1973) S. 59–73.

Fleig, Horst: Sich versagendes Erzählen (Fontane). Göppingen: Kümmerle 1974. (S. 186–194.)

Fricke, Hermann: Theodor Fontane. Chronik seines Lebens. Berlin: Arani 1960.

Fricke, Hermann: Zur Pathographie des Dichters Theodor Fontane. In: Theodor Fontanes Werk in unserer Zeit. Symposion zur 30-Jahr-Feier des Fontane-Archivs der Brandenburgischen Landes- und Hochschulbibliothek. Potsdam 1966. S. 95–112.

Friedrich, Gerhard: Die Frage nach dem Glück in Fontanes ›Irrungen, Wirrungen‹. In: Der Deutschunterricht, Jg. 11 (1959) H. 4, S. 76–87.

Fuerst, Norbert: Fontane's Entanglements ›Irrungen, Wirrungen‹. In: N. F., The Victorian Age of German Literature. Eight Essays. University Park / London: Pennsylvania University Press 1966. S. 157 bis 161.

Gebhardt, Heinz: Theodor Fontane und Hankels Ablage. In: Heimatkalender für den Kreis Zossen (1969) S. 98–101.

Gerhardt, Dietrich: Slavische Irrungen und Wirrungen. In: Die Welt der Slaven. Vierteljahrsschrift für Slavistik, Bd. 15 (1970) S. 321–334. (Auseinandersetzung mit Eugène Fauchers »Le langage chiffré . . .«.)

Gilbert, Mary-Enole: Das Gespräch in Fontanes Gesellschaftsromanen. Leipzig: Mayer & Müller 1930. (Palästra, Bd. 174.)

Gilbert, Mary-Enole: Weddings and Funerals. A Study of Two Motifs in Fontane's Novels. In: Deutung und Bedeutung: Studies in German & Comparative Literature presented to Karl-Werner Maurer. The Hague: Mouton 1973. S. 192–209.

Greter, Heinz Eugen: Fontanes Poetik. Bern / Frankfurt a. M.: Lang 1973.

Grieve, Heide: Aspects of Fontane's Narrative Technique. The Development of His Novels in the Context of German and European Prose Fiction. Diss. University of East Anglia 1974. (S. 84–104.)

Günther, Vincent J.: Das Symbol im erzählerischen Werk Fontanes. Bonn: Bouvier 1967.

Harrigan, Renny: The Portrayal of the Lower Classes and the Petty

Bourgeoisie in Theodor Fontane's Social Novels. Diss. Brown University 1973. (Diss. Abstracts International, Bd. 34, 1974, S. 5970.)

Harrigan, Renny: The Limits of Female Emancipation: A Study of Fontane's Lower Class Women. In: Monatshefte für deutschen Unterricht, deutsche Sprache und Literatur, Bd. 70 (1978) S. 117–128.

Herding, Gertrud: Theodor Fontane im Urteil der Presse. Ein Beitrag zur Geschichte der literarischen Kritik. Diss. München 1945. (S. 186 bis 194.)

Honnefelder, Gottfried: Der Brief in den Romanen Theodor Fontanes: Der realistische Roman. In: G. H., Der Brief im Roman. Untersuchungen zur erzähltechnischen Verwendung des Briefes im deutschen Roman. Bonn: Bouvier 1975. S. 148–216.

Jolles, Charlotte: ›Gideon ist besser als Botho.‹ Zur Struktur des Erzählschlusses bei Fontane. In: Festschrift für Werner Neuse. Hrsg. von Herbert Lederer / Joachim Seyppel. Berlin: Die Diagonale 1967. S. 76–93.

Jolles, Charlotte: Theodor Fontane. Stuttgart: Metzler 1972. (Sammlung Metzler, Bd. 114.) ([2]1976, S. 68–71.)

Kahrmann, Cordula: Idyll im Roman: Theodor Fontane. München: Fink 1973.

Keitel, Walter: ›Ach, das arme bißchen Leben‹. Gedanken zu Fontanes ›Irrungen Wirrungen‹. In: Neue Zürcher Zeitung, 6. 5. 1973.

Keune, Manfred: Das Amerikabild in Theodor Fontanes Romanwerk. In: Amsterdamer Beiträge zur neueren Germanistik, Bd. 2 (1973) S. 1–25.

Khalil, Iman Osman: Das Fremdwort im Gesellschaftsroman Theodor Fontanes. Zur literarischen Untersuchung eines sprachlichen Phänomens. Frankfurt a. M. / Bern / Las Vegas: Lang 1978. (Europäische Hochschulschriften, Bd. 261.)

Killy, Walther: Abschied vom Jahrhundert. Fontane: ›Irrungen, Wirrungen‹. In: W. K., Romane des 19. Jahrhunderts. Wirklichkeit und Kunstcharakter. Göttingen: Vandenhoeck & Ruprecht 1967. S. 193–211. (Zuerst München: Beck 1963.) Auch in: Preisendanz (1973), S. 265–285.

Kohn-Bramstedt, Ernst: Marriage and Misalliance in Thackeray and Fontane. In: German Life & Letters, Bd. 3 (1939) S. 285–297.

Koltai, Eugene: Untersuchungen zur Erzähltechnik Theodor Fontanes, dargestellt an den Werken ›Vor dem Sturm‹, ›Irrungen, Wirrungen‹ und ›Effi Briest‹. Diss. New York University 1969. (Diss. Abstracts International, Bd. 30, 1969/70, S. 2488 f.)

Krause, Joachim: Fontane und der Dialekt. Diss. Greifswald 1932. (S. 54–74.)

Lente, Johanna van: The Functions of the Minor Characters in the Novels of Theodor Fontane. Diss. Northwestern University 1971. (Diss. Abstracts International, Bd. 32, 1972, S. 5205.)

Liesenhoff, Carin: Fontane und das literarische Leben seiner Zeit. Eine literatursoziologische Studie. Bonn: Bouvier 1976. (S. 83–92.)

Lübbe, Hermann: Fontane und die Gesellschaft. In: Literatur und Gesellschaft. Festgabe für Benno von Wiese. Hrsg. von Hans Joachim Schrimpf. Bonn: Bouvier 1963. S. 229–273. Auch in: Preisendanz (1973), S. 354–400.

Lukács, Georg: Der alte Fontane. In: G. L., Deutsche Realisten des 19. Jahrhunderts. Berlin: Aufbau-Verlag 1952. S. 262–307. Auch in: Preisendanz (1973), S. 25–79.

Martini, Fritz: Deutsche Literatur im bürgerlichen Realismus 1848 bis 1898. Stuttgart: Metzler [3]1974 (zuerst 1962). S. 737–800 (Fontane). S. 775–782 (›I, W‹ und ›Stine‹).

Matthias, Klaus: Theodor Fontane – Skepsis und Güte. In: Jahrbuch des Freien Deutschen Hochstifts (1973) S. 371–439.

McHaffie, Margaret: Fontane's ›Irrungen, Wirrungen‹ and the Novel of Realism. In: Periods in German Literature II. Hrsg. von James M. Ritchie. London: Wolff 1969. S. 167–189.

Mittenzwei, Ingrid: Irrungen Wirrungen oder Klarheit und Helle? In: I. M., Die Sprache als Thema. Untersuchungen zu Fontanes Gesellschaftsromanen. Bad Homburg: Gehlen 1970. S. 94–110.

Müller-Seidel, Walter: Gesellschaft und Menschlichkeit im Roman Theodor Fontanes. In: Heidelberger Jahrbücher, Bd. 4 (1960) S. 108–127. Auch in: Preisendanz (1973), S. 169–200.

Müller-Seidel, Walter: Theodor Fontane. Soziale Romankunst in Deutschland. Stuttgart: Metzler 1975. (S. 239–284: Einfache Lebenskreise: ›Irrungen, Wirrungen‹ und ›Stine‹.)

Nürnberger, Helmuth: Theodor Fontane in Selbstzeugnissen und Bilddokumenten. Reinbek: Rowohlt 1968, [3]1970. (Rowohlts Monographien, Bd. 145.)

Ohl, Hubert: Bild und Wirklichkeit. Studien zur Romankunst Raabes und Fontanes. Heidelberg: Stiehm 1968.

Park, Rosemary: Theodor Fontane's Unheroic Heroes. In: Germanic Review, Bd. 14 (1939) S. 32–44.

Preisendanz, Wolfgang (Hrsg.): Theodor Fontane. Darmstadt: Wissenschaftliche Buchgesellschaft 1973. (Wege der Forschung, Bd. 381.)

Reuter, Hans-Heinrich: Fontane. 2 Bde. Berlin: Verlag der Nation / München: Nymphenburger Verlagshandlung 1968.

Richter, Karl: Resignation. Eine Studie zum Werk Theodor Fontanes. Stuttgart: Kohlhammer 1966.

Richter, Wilfried: Das Bild Berlins nach 1870 in den Romanen Theodor Fontanes. Diss. Berlin 1955.

Robinson, Alan: Problems of Love and Marriage in Fontane's Novels. In: German Life & Letters, N. F., Bd. 5 (1951/52) S. 279–285.

Roch, Herbert: Fontane, Berlin und das 19. Jahrhundert. Berlin: Weiß 1962.

Roethe, Gustav: Zum Gedächtnis Theodor Fontanes. In: Deutsche Rundschau, 46. Jg., Bd. 182 (1920) S. 105–135. (S. 121 f.: ›Irrungen, Wirrungen‹.)

Rost, Wolfgang E.: Örtlichkeit und Schauplatz in Fontanes Werken. Berlin/Leipzig: de Gruyter 1931. (S. 129–131.)

Schillemeit, Jost: Theodor Fontane. Geist und Kunst seines Alterswerkes. Zürich: Atlantis 1961. (S. 22–46.)

Schmidt-Brümmer, Horst: Formen des perspektivischen Erzählens: Fontanes ›Irrungen Wirrungen‹. München: Fink 1971.

Schorneck, Hans-Martin: Fontane und die französische Sprache. In: Fontane-Blätter, H. 11. (1970) S. 172–186.

Schultz, Albin: Das Fremdwort bei Theodor Fontane (Briefe, ›Grete Minde‹, ›L'Adultera‹, ›Irrungen, Wirrungen‹). Ein Beitrag zur Charakteristik des modernen realistischen Romans. Diss. Greifswald 1912.

Stern, Joseph Peter: Fontane's ›Vor dem Sturm‹ and ›Irrungen, Wirrungen‹. In: J. P. St., Idylls and Realities. Studies in Nineteenth Century German Literature. London: Methuen 1971. S. 163–178.

Tontsch, Ulrike: Der ›Klassiker‹ Fontane. Ein Rezeptionsprozeß. Bonn: Bouvier 1977.

Turner, David: Marginalien und Handschriftliches zum Thema: Fontane und Spielhagens Theorie der ›Objektivität‹. In: Fontane-Blätter, H. 6 (1968) S. 265–281.

Wandrey, Conrad: ›Irrungen, Wirrungen‹. In: C. W., Theodor Fontane. München: Beck 1919. S. 210–234.

Wenger, Erich: Theodor Fontane. Sprache und Stil in seinen modernen Romanen. Diss. Greifswald 1913.

Wenger, Marion: Redensarten in Theodor Fontanes ›Irrungen, Wirrungen‹. In: Semasia. Beiträge zur germanisch-romanischen Sprachforschung. 2. Amsterdam 1975. (Wolfgang Fleischhauer zum 65. Geburtstag.) S. 325–331.

Westermann, Ruth: Gastlichkeit und Gaststätten bei Fontane. In: Jahrbuch für brandenburgische Landesgeschichte. Bd. 20 (1969) S. 49–57.

Wölfel, Kurt: ›Man ist nicht bloß ein einzelner Mensch.‹ Zum Figurenentwurf in Fontanes Gesellschaftsromanen. In: Zeitschrift für deutsche Philologie, Bd. 82 (1963) S. 152–171. Auch in: Preisendanz (1973), S. 329–353.

Zerner, Marianne: Zur Technik von Fontanes ›Irrungen, Wirrungen‹. In: Monatshefte für deutschen Unterricht, deutsche Sprache und Literatur, Bd. 45 (1953) S. 25–34.

# Erläuterungen und Dokumente

zu Brentano, *Geschichte vom braven Kasperl und dem schönen Annerl.* 8186

zu Büchner, *Dantons Tod.* 8104 – *Lenz.* 8180 – *Woyzeck.* 8117

zu Chamisso, *Peter Schlemihl.* 8158

zu Droste-Hülshoff, *Die Judenbuche.* 8145

zu Dürrenmatt, *Der Besuch der alten Dame.* 8130 – *Die Physiker.* 8189 – *Romulus der Große.* 8173

zu Eichendorff, *Das Marmorbild.* 8167

zu Fontane, *Effi Briest.* 8119 – *Frau Jenny Treibel.* 8132 – *Grete Minde.* 8176 – *Irrungen, Wirrungen.* 8146 – *Schach von Wuthenow.* 8152 – *Der Stechlin.* 8144

zu Frisch, *Andorra.* 8170 – *Biedermann und die Brandstifter.* 8129 – *Homo faber.* 8179

zu Goethe, *Egmont.* 8126 – *Götz von Berlichingen.* 8122 – *Hermann und Dorothea.* 8107 – *Iphigenie auf Tauris.* 8101 – *Die Leiden des jungen Werther.* 8113 – *Novelle.* 8159 – *Torquato Tasso.* 8154 – *Urfaust.* 8183 – *Die Wahlverwandtschaften.* 8156 – *Wilhelm Meisters Lehrjahre.* 8160

zu Gotthelf, *Die schwarze Spinne.* 8161

zu Grass, *Katz und Maus.* 8137

zu Grillparzer, *Der arme Spielmann.* 8174 – *König Ottokars Glück und Ende.* 8103 – *Weh dem, der lügt!* 8110

zu Hauptmann, *Bahnwärter Thiel.* 8125 – *Der Biberpelz.* 8141 – *Die Ratten.* 8187

zu Hebbel, *Agnes Bernauer.* 8127 – *Maria Magdalena.* 8105

zu Heine, *Deutschland. Ein Wintermärchen.* 8150

zu Hesse, *Demian. Die Geschichte von Emil Sinclairs Jugend.* 8190

zu Hoffmann, *Das Fräulein von Scuderi.* 8142 – *Der goldne Topf.* 8157 – *Klein Zaches genannt Zinnober.* 8172 zu Ibsen, *Nora (Ein Puppenheim).* 8185

zu Johnson, *Mutmassungen über Jakob.* 8184

zu Kafka, *Die Verwandlung.* 8155

zu Kaiser, *Von morgens bis mitternachts.* 8131

zu Keller, *Das Fähnlein der sieben Aufrechten.* 8121 – *Kleider machen Leute.* 8165 – *Romeo und Julia auf dem Dorfe.* 8114

zu Kleist, *Amphitryon.* 8162 – *Das Erdbeben in Chili.* 8175 – *Das Käthchen von Heilbronn.* 8139 – *Michael Kohlhaas.* 8106 – *Penthesilea.* 8191 – *Prinz Friedrich von Homburg.* 8147 – *Der zerbrochne Krug.* 8123

zu J. M. R. Lenz, *Der Hofmeister.* 8177 – *Die Soldaten.* 8124

zu Lessing, *Emilia Galotti.* 8111 – *Minna von Barnhelm.* 8108 – *Miß Sara Sampson.* 8169 – *Nathan der Weise.* 8118

zu Th. Mann, *Mario und der Zauberer.* 8153 – *Der Tod in Venedig.* 8188 – *Tonio Kröger.* 8163 – *Tristan.* 8115

zu Meyer, *Das Amulett.* 8140

zu Mörike, *Mozart auf der Reise nach Prag.* 8135

zu Nestroy, *Der böse Geist Lumpazivagabundus.* 8148 – *Der Talisman.* 8128

zu Novalis, *Heinrich von Ofterdingen.* 8181

zu Schiller, *Don Carlos.* 8120 – *Die Jungfrau von Orleans.* 8164 – *Kabale und Liebe.* 8149 – *Maria Stuart.* 8143 – *Die Räuber.* 8134 – *Die Verschwörung des Fiesco zu Genua.* 8168 – *Wallenstein.* 8136 – *Wilhelm Tell.* 8102

zu Shakespeare, *Hamlet.* 8116

zu Stifter, *Abdias.* 8112 – *Brigitta.* 8109

zu Storm, *Hans und Heinz Kirch.* 8171 – *Immensee.* 8166 – *Der Schimmelreiter.* 8133

zu Tieck, *Der blonde Eckbert / Der Runenberg.* 8178

zu Wedekind, *Frühlings Erwachen.* 8151

zu Zuckmayer, *Der Hauptmann von Köpenick.* 8138

Philipp Reclam jun. Stuttgart

# Theodor Fontane

IN RECLAMS UNIVERSAL-BIBLIOTHEK

*Cécile.* Roman. (Christian Grawe) 7791

*Effi Briest.* Roman. (Kurt Wölfel) 6961 – dazu *Erläuterungen und Dokumente.* 8119

*Frau Jenny Treibel.* (Walter Müller-Seidel) 7635 – dazu *Erläuterungen und Dokumente.* 8132

*Graf Petöfy.* (Lieselotte Voss) 8606

*Grete Minde.* Nach einer altmärkischen Chronik. 7603 – dazu *Erläuterungen und Dokumente.* 8176

*Irrungen, Wirrungen.* Roman. 8971 – dazu *Erläuterungen und Dokumente.* 8146

*L'Adultera.* Novelle. (Frederick Betz) 7921

*Mathilde Möhring.* (Maria Lypp) 9487

*Meine Kinderjahre.* Autobiographischer Roman. (Christian Grawe) 11 Abb. 8290

*Die Poggenpuhls.* Roman. (Richard Brinkmann) 8327

*Schach von Wuthenow.* Erzählung. (Walter Keitel) 7688 – dazu *Erläuterungen und Dokumente.* 8152

*Der Stechlin.* Roman. (Hugo Aust) 9910 – dazu *Erläuterungen und Dokumente.* 8144

*Stine.* Roman. (Dietrich Bode) 7693

*Tuch und Locke.* Erzählungen aus dem Nachlaß. (Walter Keitel) 8435

*Unterm Birnbaum.* Roman. (Kurt Schreinert / Irene Ruttmann) 8577

*Unwiederbringlich.* Roman. (Sven-Aage Jørgensen) 9320

*Interpretationen: Fontanes Novellen und Romane.* (Christian Grawe) 8416

*Fontane-Brevier.* (Bettina Plett) Reclam Lesebuch. Gebunden

Philipp Reclam jun. Stuttgart